DecE2   P.A

Le Fol Enfant

Pour recevoir notre catalogue
et son bon de commande
à chaque nouvelle parution,
écrire aux :

Éditions Corps 16

15, rue de la Comète 75007 Paris
Tél. 01 45 50 10 10
Fax 01 45 50 33 09

www.editionscorps16.com
e-mail : info@editionscorps16.com

Texte intégral

MARINA VLADY

Le Fol Enfant

Roman

DOCUMENTS
CORPS 16

Ce matin j'ai relâché la tourterelle que j'ai ramassée il y a trois jours, sans doute assommée contre la baie vitrée de mon bureau. Je l'ai regardée prendre son envol et disparaître, petite vie libérée, sauvée par mes soins. Et mon cœur s'est mis à taper plus fort dans ma poitrine.

Pourvu que ceux qui ont recueilli le corps brisé de mon fils sachent montrer la même douceur, la même maîtrise de soi, la même connaissance des gestes qui redonnent la vie, pourvu que leur patience soit aussi grande, leur amour aussi tenace, qu'un jour ils puissent le regarder se lever et partir avec la même fierté que la mienne, en ce matin d'automne, en sentant l'oiseau s'évader d'entre mes doigts.

Assise à ma table de travail, je crayonne des figures géométriques dans l'attente des nouvelles, sans parvenir à mettre au clair toutes les émotions qui m'assaillent et m'étouffent.

La porte de la chambre ouverte, j'ai failli tomber à genoux. Cet être bardé de tuyaux, de tringles, de plaques, de plâtres, dont seul le haut du visage paraît exempt de blessures, cet être inerte dont les côtes se soulèvent en cadence au rythme de la machine, c'est mon fils...

Œdème du cerveau, fractures multiples, jambe droite sauvée de l'amputation, sept heures d'opération, greffes, extraction des dents brisées, coma profond. Bref, peu d'espoir...

On me balance tout cela d'une voix feutrée, dans le couloir. Je me sens tellement sonnée que mon visage impassible donne à croire que je suis d'une solidité à toute épreuve.

Je dois l'être, solide, car après des jours et des jours d'attente, penchée sur ces yeux mi-clos, ces joues que la barbe fait paraître encore plus hâves – elles m'ont fait penser aussitôt à la photo du Che Guevara gisant, mort, sur la pierre d'un lavoir –, triturant les doigts de la main gauche, seule épargnée par les brûlures de la glissade sur le bitume, je n'ai pas l'ombre d'une incertitude : il se lèvera, il sera de nouveau dans le mouvement du monde, partie intégrante de notre histoire, oui, il vivra.

Pour ne pas le quitter une minute, je décide de lui écrire, puis de venir lui lire chaque jour une lettre. Une missive qui serait comme une perfusion de forces, pour lui comme pour moi. Un résumé de ce qui lui plairait ou lui déplairait dans la suite des événements, de telle façon qu'il n'en rate rien. Qu'il reçoive en cadeau ce passage de la vie qui, pour l'instant, lui échappe.

J'en suis, ce soir, au treizième jour de supplice. L'œdème cède petit à petit, mais rien ne garantit encore le retour à la conscience. Si c'est le cas, pourtant, il lui faudra ces feuilles quotidiennes qui s'empilent désormais sur ma table de travail et qui combleront les blancs de sa mémoire envolée.

Tu n'as jamais été facile, même aux tout premiers instants de ta vie : tu as déchiré tous les passages pour voir le jour ! Mais, comme me l'assure la chirurgienne qui a sauvé ta jambe, si tu n'avais pas été si parfaitement proportionné, elle n'aurait pas hésité à pratiquer d'emblée l'amputation.

Être beau t'a donc épargné l'invalidité ? peut-être même, qui sait, garanti un futur ?

Pour l'heure, il ne s'agit pourtant que de la pauvre carcasse d'un athlète fauché sur une route nocturne, traîné sur plusieurs mètres, laissé pour mort, entouré de trois corps inanimés eux aussi.

Le matin, je chante pour éprouver ma résistance vitale. Devant la cage aux canaris, je hurle le passage de *Don Giovanni* que je préfère. Les oiseaux prennent peur. Plumes ébouriffées, puis disparition vers le haut de la cage que j'ai aménagée en refuge. Ces menus volatiles que tu aimais effrayer, toi aussi, en jouant avec un crayon sur les barreaux et en sifflant déjà des airs d'opéra entendus dès les premiers mois de ta vie.

Je voudrais tant revoir les chats qui ont peuplé mon rêve de cette nuit.

Une pièce grise, lugubre, hostile. Apparaît un animal lisse et soyeux, qui ne se laisse pas approcher. Je veux le toucher, il se rebiffe, toutes griffes dehors. À force de gestes de soumission, je parviens à l'effleurer. En un instant la pièce se transforme en un lieu de promenade où vont et viennent des dizaines de ventres à caresser : pupilles d'or roux, pelages doux ou rêches, unis ou bicolores. Il y en a tant que je ne sais quel animal choisir pour lui prodiguer mon amour. Soudain, tous bondissent hors de ma vue. En face de moi se tient seul un magnifique félin, yeux mi-clos d'où filtre à mon adresse une lueur assassine…

Je me suis réveillée en nage. Comme toi, je transpire à la moindre alerte ou émotion, mais, aujourd'hui, je caresse ta joue : elle est sèche et rugueuse, comme minérale, sans vie.

Dans ma détresse je cherche refuge auprès de mes chiens. Je m'approche du divan lilas, celui où préfèrent passer la soirée mes compagnons de toujours. Ils ont été très nombreux, dans la longue aventure de ma vie. Le premier fut Ali, basset aux yeux bleus, adorable dégénéré, trop vite crevé. Comme tous, beaucoup trop vite… Je ne tiens pas à en dresser la liste, pas ce soir ; si j'y pense trop, je ne sais où le désespoir risque de me conduire. Je cherche un peu de chaleur ne serait-ce que pour m'assoupir quelques minutes. Quelques minutes de répit peuvent suffire à affronter cette réalité : tu n'as toujours pas rouvert les yeux, tu ne respires pas seul, tu n'entends rien. Tu ne réagis pas, même quand, dans une ruade, tes broches blessent la chair à nu de l'autre membre. Les chirurgiens ont finalement plâtré la jambe, la moins mutilée, pour éviter ces arrachements sporadiques.

Ta main indemne est étonnamment lisse, tiède, quoique sans vie autonome, comme une bête vivante mais privée de réflexes, sans réponse à mes caresses. Molle, inerte, mais néanmoins la seule partie de toi à me redonner espoir, à chacune de mes visites.

Tu vivras… mais comment ? Vas-tu finir par respirer un jour par toi-même ?

Aujourd'hui je t'ai quitté plus tôt et me suis réfugiée à l'Opéra, dans un lointain passé : *Roméo et Juliette*, spectacle de ballet qui réveille en moi mes plus belles émotions, Prokofiev : orchestre admirable, costumes, décors et lumières riches et justes. Surtout, deux jeunes danseurs d'une beauté aérienne. Sauf qu'à chacune de leurs envolées une rage sourde m'obstrue la gorge. Si puissants et déliés, si purs, ivres de leur jeunesse… comme tu l'étais.

Ce passé-là dans sa beauté m'est une torture. Seras-tu à nouveau toi-même un jour ? Qui pourra me répondre : vas-tu vivre ? Vas-tu cesser ou continuer de réagir aux « expériences » médicales – car, je le sais, aucun de ces réparateurs de corps n'a de certitude. En auraient-ils que je ne les croirais pas.

Solitude emplie de moments troubles où j'en viens presque à rire alors que je n'ai qu'une envie : pleurer, m'abandonner contre l'épaule d'un proche.

«Il ne parlera jamais plus...» : un jeune spécialiste, sûr de son diagnostic, me confirme, la gueule de travers, l'œil fuyant, leur conclusion générale. S'il survit, ce sera dans la peau d'un handicapé complet. Seules les aides-soignantes me redonnent courage, me câlinent, m'obligent à réagir : «On en a vu de pires qui reviennent.» Ce verbe *revenir* résume bien tout mon espoir. «Revenir», «ressusciter», «renaître». Moi qui ne crois en aucune vie dans l'au-delà, qui ne me fie qu'à ce que je peux toucher, frapper ou caresser, je sais que toi, tu vas «revenir».

Il me faut te raconter un songe qui remonte à l'époque où tu n'existais pas encore. Je revois une image solaire : un champ de hautes herbes, une silhouette torse nu, vêtue d'une ample jupe rouge qui vole à chaque arc que décrit la faux. C'est moi à quinze ans, me frayant un passage dans ce modeste carré de brousse dont je viens de devenir l'occupante et la maîtresse. J'en tressaille de joie, tant ce souvenir est délicieux…

Réveil d'autant plus amer : comme c'est loin, si loin ! Petite prairie, première maison, mes quinze ans, et cette époque triomphante de l'adolescence. Aujourd'hui, je guette un frémissement sur ton visage aussi immobile qu'un masque de cire où seul fait tache le blanc bleuté de deux lunules : tes globes oculaires qu'entre-dévoilent tes paupières mi-closes. À force de les scruter, il me semble surprendre parfois une légère crispation de cette peau si fine qu'elle laisse transparaître le réseau des vaisseaux… Mais non, corrigent les jeunes femmes en blanc, non, ce n'est pas encore ça. Patientez, laissez-le se reposer encore un peu… Il reviendra !

Question absurde : je me demande par où passent toutes ces souris… Depuis des nuits et des nuits sans sommeil, j'observe le faux plafond de ma chambre au-dessus duquel elles galopent effrontément. Pas de chat à la maison (les chiens lui feraient la peau).

Nourriture assurée : graines des oiseaux, miettes des repas, croquettes des toutous inoffensifs pour elles : ils laissent même les hérissons faire bombance dans leurs gamelles ! C'est toi, d'ailleurs, qui me l'as fait remarquer, un soir, au jardin, au temps où tu cavalais encore…

Et vlan ! l'horrible image à nouveau projetée devant moi comme sur un écran géant. Ton corps inerte bardé d'acier, de tuyaux. Ton souffle mécanique, rythmé par un moteur. Ce battement de métronome me pousse à te fredonner quelques strophes :

Rien n'a changé,
J'ai tout revu.
L'humble tonnelle de vigne folle
Avec ses chaises de rotin,
Le jet d'eau fait toujours
Son murmure argentin
Et le tremble sa plainte sempiternelle.
Comme avant les roses palpitent
Comme avant les grands lys orgueilleux
balancent au vent.
J'ai même retrouvé debout
La Velleda

Dont le plâtre s'écaille
Au bout de l'avenue,
Grêle, parmi l'odeur fade
Du réséda...

Je te répète ces quelques bribes d'enfance, j'avais sept ans à l'école communale de Clichy, une maîtresse aimante, amoureuse de la poésie. Grâce à elle j'ai lu toute ma vie ! Je sais que tu as aussi connu le privilège de ce genre de rencontre, tu m'en parlais souvent. Quand liras-tu de nouveau ? Pourras-tu seulement fixer encore ton regard, ton attention, retrouver le bonheur d'une découverte, goûter le plaisir d'une émotion revenue intacte ? Tiens, je vais apporter de quoi te lire quelques pages... peut-être cette musique atteindra-t-elle mieux ton cerveau endormi ?

J'ai coupé les ponts. J'ai dû m'absenter deux jours. Il me fallait dormir. Pas de téléphone, aucun bruit. Tenter de réfléchir, même si ma tête est bien embrumée. Me voici confrontée à une nouvelle bataille. La personne qui chaque semaine me remet le corps en marche n'a pas pu venir. J'ai littéralement trébuché : mes vieilles douleurs ont repris le dessus. À mon tour j'ai ressenti en réduction tout ce que tu subis heure après heure depuis des semaines. Il faut te laver, te masser, te panser, te perfuser, te retourner, te changer comme un nouveau-né, peut-être t'alimenter, à tout le moins te nettoyer la bouche, t'hydrater, oindre ta peau, surveiller tes greffes, écouter ton cœur... Les jeunes femmes en blanc font cela avec patience, entrain, dévouement. On dirait, à leurs rires clairs, qu'elles en tirent même de la joie. Je veux obtenir d'elles, qui savent, la réponse à ma question :

va-t-il « revenir », oui ou non ? Si c'est non, je suis prête à te ramener chez moi et à vivre cet ultime duel seule à seul avec toi.

Tu as peut-être entendu notre discussion, tendue jusqu'à frôler la dispute, mais les filles m'ont finalement convaincue. Après avoir formulé cet ultimatum imbécile, j'ai repris mon épuisant va-et-vient – hôpital-maison, maison-hôpital… Le monde autour de nous s'est arrêté de tourner. Il n'existe plus que les courbes, les résultats d'analyses, les mouvements de plus en plus violents et désordonnés de tes jambes, de tes bras, et même une certaine propension de ton visage à grimacer. Comme si un courant électrique passait soudain sous ta peau. L'œdème a un peu cédé, le cerveau est peut-être à nouveau dans son espace normal ?

Je ne comprends toujours rien au galimatias délivré d'une voix suave par le médecin de garde. Mais la main que j'ai tenue, caressée, qui me semble le meilleur indicateur imaginable, me signale une petite résistance, une élasticité, et même un potelé que je n'avais pas encore senti à ce jour…

En rentrant, je me suis précipitée sur le répondeur : le bouton rouge obstinément allumé depuis des jours n'est plus fixe, mais clignote sans désemparer. C'est un appel de l'hôpital que je viens de quitter, harassée et déçue. On me donne la nouvelle tant attendue : tu respires seul ! Ils ont décidé de débrancher la machine. Ma fatigue disparaît comme par enchantement, je saute dans ma voiture, fais demi-tour, file à l'hôpital où m'attendent les filles qui m'ont prévenue…

Tu es calme, débarrassé de ces instruments barbares qui te sauvaient de l'asphyxie. Ton visage est à peine moins pâle, mais le fait de voir ta bouche entrouverte, sans déformation, me fait te retrouver. C'est toi, mon fils, je te regarde intensément et perçois ton souffle en m'approchant pour t'embrasser.

Rien n'a pourtant changé, à part la respiration régulière qui gonfle ta poitrine et fait apparaître de petites bulles de salive sur tes lèvres, lorsque tu expires … Tiens, c'est le même mot que pour mourir, mais la vie est bien là, accrochée à ton grand corps brisé.

Ce matin, passant devant la vitrine du boulanger, j'ai jeté un regard vers mon reflet, je me suis découverte moins abattue, presque droite, ayant retrouvé une allure normale. Les autres jours, la vitrine me renvoyait une caricature, vieille femme terrassée.

Ce regain d'énergie me rassure. Si d'aussi bonnes nouvelles reviennent peu à peu, elles vont finir par faire *la* grande nouvelle, celle de ta guérison, nous allons bientôt pouvoir te reprendre à la maison ?

Non ?... NON !
Trop tôt.
« Soyez patiente, madame. Il n'est pas encore sorti d'affaire ! Pensez donc : il n'a même pas rouvert les yeux. Quant au reste... »

Qu'est-ce que ce « reste » ? Expliquez-moi, nom de Dieu !

Personne ne veut parler. Personne ne sait rien de ce qui se passe dans ton cerveau ballotté, comprimé, pour l'instant encore anesthésié.

Écoute ce qui est arrivé, cette nuit. Malgré le somnifère, je suis réveillée en sursaut par un énorme orage. Les portes-fenêtres tremblent ; même les branches basses du figuier, rescapé de la stupide vindicte des anciens occupants, fouettent les carreaux de ma chambre. La grêle par rafales préfigure le vacarme final, celui où tout se disloque pour n'être plus qu'un tas de gravats... On voit cela chaque jour ou presque en Amérique : tornades, destruction de villages entiers dont il ne reste que quelques cheminées tendues vers le ciel, maigres bras impuissants implorant grâce.

J'allume le téléviseur pour avoir des informations, l'écran se décompose en une mosaïque de petits carrés qui se bousculent puis disparaissent à leur tour. Plus d'image, plus de son : on entend juste les claquements secs des éclairs suivis des roulements de tonnerre ! Les chiens s'affolent autour de moi ; à mon tour je panique. Que se passe-t-il à l'hôpital avec tous ces appareils qui maintiennent artificiellement la vie dans des corps abandonnés ?

Une voix me rassure au téléphone : tout est prévu, des groupes électrogènes sont en marche, l'équipe de nuit veille, tu es en sécurité.

Sous la pluie battante, je me précipite à la cave. Tout flotte dans une eau marronnasse. Quelques bouteilles des meilleur crus sont épargnées. Celles qui te feront plaisir, mais boiras-tu encore du vin ? Quand pourras-tu goûter de ceux-là ?

Sur les marches de l'escalier en colimaçon, des bustes d'anonymes sculptés par mon père bien-aimé montent la garde devant le jardin. Tu m'as souvent demandé de t'en raconter l'histoire. J'ignore tout de ces hommes, sauf qu'ils ont croisé dans les années vingt « Vladimir le généreux », ainsi que le surnommaient les Montparnos. Avec raison, tu me reprochais de les avoir abandonnés sous la pluie. Après l'orage de cette nuit, ils ont l'air pitoyable, le plâtre s'effrite, je vais les déplacer pour qu'à ton retour ils soient debout, comme la Velleda…

Mais quand reviendras-tu ?

En te parlant à l'oreille, il me semble ressentir une légère vibration le long de ton bras… L'évocation du bon vin ferait-il réagir tes neurones ? Si oui, je vais chaque jour te décrire les plats que tu réclamais, je vais te chanter les mélodies qui t'ont fait danser, j'inventerai des voyages que tu n'as pas encore faits. Je te nourrirai de souvenirs et d'espoirs.

Tu as rouvert les yeux, j'en suis sûre ! Un court instant, j'ai pu discerner le cercle de jade de ton œil gauche, celui sur lequel j'étais penchée pour chuchoter à ton oreille… Je t'évoquais un incendie de broussailles survenu dans le jardin mitoyen, à l'aube. Réveillée par les chiens, je m'étais précipitée, en chemise de nuit, pour l'éteindre, effrayée par la proximité des flammes qui léchaient déjà quelques voitures garées là… J'étais sur le point de te rappeler l'épisode qui, désormais, fait partie du récit que dévident les guides des tour-operator sur les canaux de Saint-Pétersbourg, qui montrent du doigt le septième étage de l'hôtel d'où je fus naguère sauvée du brasier par miracle.

Lorsque les jeunes femmes en blanc ont fait irruption et m'ont priée de quitter la chambre, j'ai refusé. Elles m'ont mise en garde : « Ce que vous allez voir n'est pas plaisant. Vous risquez de garder cette vision imprimée dans votre mémoire… » J'ai insisté pour être témoin de ces gestes quotidiens pour elles, si bouleversants pour nous. Et ce à quoi j'ai assisté m'a conduite au bord de l'évanouissement.

Après la toilette habituelle, prestement achevée, elles ont relevé tes deux jambes et ont entrepris ce que je ne puis décrire autrement que comme un grattage, un raclage, de lambeaux de chair pourrie faisant apparaître la blancheur de l'os sur tes deux talons. Les escarres provoquées par l'immobilité complète liée au coma ont failli te faire perdre une partie des pieds.

Elles m'ont rassurée : « C'est moche, mais ça n'évolue plus. » Donc, tout va bien ?

Tu respires, ton corps a cessé de pourrir, tu vas peut-être enfin rouvrir les yeux ?

À nouveau seule avec toi, je reprends nos confidences dont je suis sûre qu'elles atteignent en toi une région lointaine, mais déjà attentive et sensible. À nouveau je peux entr'apercevoir l'éclair de ton regard, trouble comme l'eau d'un étang, mais enfin offert comme signe d'un retour prochain.

Que c'est long ! Que de patience pour venir passer des heures auprès de toi à parler sans obtenir le moindre commencement de réponse !

Pour m'occuper, tout en me remémorant certains épisodes parmi les plus drôles de notre commun passé, j'ai décidé de te couper les ongles. Ils étaient si longs que j'ai revécu dans un flash une scène d'autrefois. Des pieds tout semblables aux tiens, une séance de pédicurie qui s'achève en séquence amoureuse, ton père si jeune alors, ardent et sincère, et moi, fille d'à peine quinze ans qui se laisse prendre au rêve des grands sentiments, à nos grandioses plans d'avenir : avoir beaucoup d'enfants, posséder au plus tôt un théâtre, jouer, jouer tous les répertoires, partout dans le monde, fonder une troupe dont, comme au cirque, les enfants seront les premiers acteurs, tous apprenant le B.A.-ba du métier sur le tas, et nous, les « fondateurs », leur transmettant notre art... Je souris en égrenant ces divagations. Presque toutes se sont réalisées : théâtres, créations, succès, ratages... Aujourd'hui, quarante ans plus tard, je te confie l'histoire de tes parents, ta conception, ta naissance, les années de voyages, les projets les plus fous, les déceptions les plus cruelles...

J'ai bien égalisé tes ongles de pieds. Pour les mains, il a fallu faire davantage attention, les brûlures du côté droit ne sont pas encore cicatrisées. Demain je taillerai ta tignasse. Peu à peu, tu reprendras figure humaine.

Pour l'instant, toujours aucun signe de ta part. Mais patience !

On a libéré des otages, ce matin. Ces hommes ont enduré un calvaire. Poignets entravés dans le dos, yeux bandés, bâillonnés avec du sparadrap, souvent déplacés dans le coffre de voitures, étouffant la plupart du temps dans des caches exiguës. Pourtant, ils ont tenu ! L'être humain a des facultés de survie surprenantes. Je te donne des détails pour t'imprégner de leur courage, pour que cette lutte que je sens dans chaque frémissement de ta peau, tu la mènes aussi jusqu'au bout, jusqu'à ce jour où tu sortiras sur tes deux jambes, la tête claire, le cœur vaillant, en paix.

Ces mots me font presque pleurer. Je les murmure à ton oreille, mais c'est à moi que je parle. J'essaie de me rassurer, de me consoler, de me donner courage pour continuer à espérer, guetter sur ton visage le moindre indice d'une amélioration, ne pas relâcher ce travail de contact physique et vocal, cette tresse de mots que j'enroule autour de ton cerveau pour le remettre en marche après ces semaines de néant.

« Les greffes ont pris. C'est bon signe, l'organisme est sain. Allons, courage, madame ! »

Sur ces bonnes paroles, le médecin file sans attendre les questions que je souhaiterais lui poser mais auxquelles, je le sais, il n'a pas de réponses. Seules mes gentilles complices tout de blanc vêtues m'écoutent patiemment, elles n'ont pas plus de réponses que leur patron, mais au moins font-elles ce qu'elles peuvent pour m'épauler dans l'épreuve.

J'ai cherché dans mes dictionnaires tout ce qui a trait aux greffes.

Beaucoup de jolis mots : par exemple *Enter* : « ne se dit que d'une greffe en fente ou par scion ». Cela s'applique à l'évidence aux plantes, car je ne vois rien sur ta cuisse qui ressemble à une fente ou à quelque rameau. La suite est pleine de fantaisie : *Marcotter* – a-t-on « marcotté » tes os ?

Écusson – a-t-on écussonné ta peau ? *Bouture* – a-t-on bouturé tes nerfs ? *Couronne* – a-t-on couronné ton crâne ? *Approche* – a-t-on approché ton âme ?

Je récite ces petits haïku à mi-voix, tente d'en faire une comptine rigolote tout en passant un doigt léger autour du grand rectangle de chair rosissante sur la face intérieure de ta jambe droite, au plus près de l'aine, là où la peau est si fine qu'on y voit battre le pouls.

Demasiado corazón : cœur débordant ? cœur dément ? Pourquoi ces mots me trottent-ils dans la tête ? Je me suis souvenue de tes descriptions des infâmes cachots espagnols par lesquels tu es passé, du temps de tes fugues et frasques d'adolescent... C'était le temps de l'amour maternel débordant, rendu dément par l'inquiétude, l'ignorance du lieu où tu te trouvais, la peur au ventre, jour et nuit, l'attente qui vrille l'estomac à chaque sonnerie de téléphone, les espoirs déçus, les fausses pistes, les faux amis, les rumeurs qui enflent pour se dégonfler aussitôt, le sinistre guignol des copains qui passent d'overdose en réanimation, puis de réanimation en overdose...

Et le cœur d'une mère devenue folle de frayeur, qui bat malgré tout, qui se bat contre tout ! Nous avions réussi, rappelle-toi, tu étais déjà « revenu », revenu de cet enfer sans y laisser trop de ta fraîcheur, de ton talent, de ton plaisir de vivre ; tu avais repris goût au corps à corps avec la création. Tu peignais, tu sculptais – mieux, peut-être, après être remonté des gouffres psychédéliques ? Pour mon *demasiado corazón*, ça allait aussi beaucoup mieux. Mon cœur dément se calmait. Je reprenais le chemin du travail. On dit que les années qui passent se nourrissent de l'expérience, peut-être de la sagesse ? Je ne sais plus. Aujourd'hui, tout ce passé pourtant brutal et douloureux ne me rend guère plus aguerrie face à l'inertie de ton grand corps. Autrefois, ton 1,87 mètre juché sur des bottes à semelles compensées, ta chevelure de faux rasta piquée de toutes sortes de plumes et de perles, tes lunettes à petits carreaux bleu nuit me faisaient beaucoup moins peur que ce qui gît là devant moi. De bien plus loin vas-tu « revenir », cette fois encore ?

Assise au soleil, la tête rejetée en arrière, profitant d'un court répit dans mon programme de « gavage de cerveau », je regarde les traînées blanches semblables à de la bave, que laissent dans le ciel les avions qui le quadrillent en tous sens. Pour oublier, j'essaie de n'être plus qu'un corps abandonné à l'impression de bien-être que dispense la chaleur des rayons lorsqu'on se sent pareille à une gaufre dorée, appétissante et parfumée…

Un cri me tire de cette torpeur délicieuse : « Il a rouvert les yeux, venez vite ! »

Tu es comme un jeune animal affolé aux pupilles dilatées, ton regard ne parvient pas à se fixer, tu louches, chaque œil suit sa propre direction, quelquefois l'un ou l'autre disparaissent sous les paupières, on ne voit plus que le blanc strié de rouge. Tes mains semblent elles aussi prises de soubresauts, comme tout ton corps qui tressaille et se détend par à-coups ; nous sommes trois à te maintenir pour éviter que tu tombes hors du lit, car même les barres que nous avons relevées ne seraient pas assez hautes pour te retenir. Soudain, tout retombe. Tu replonges dans une léthargie profonde, ta respiration devient imperceptible, tes mains demeurent figées sur ton ventre… Je suis effondrée : vas-tu rouvrir les yeux ? Peux-tu redevenir autre chose qu'un gisant immobile et glacé, ou que ce danseur de gigue aux yeux fous et aux membres désarticulés ?

À voir les sourires de mes complices en blanc, à entendre leurs paroles rassurantes, ça y est : le premier stade est passé. Le contact a eu lieu…

Mais je note aussitôt un détail qui me glace : tout s'est déroulé dans un silence total. Pas un cri, pas un appel, pas même un gémissement. Tes cordes vocales seraient-elles lésées ? Ça… on ne sait pas. Chaque chose en son temps. Patience, patience ! N'en demandez pas trop ! Allez reprendre des forces, vous en aurez besoin…

Te voici immobile, les yeux fixes dans un visage figé. On t'a entravé pour que tu n'enjambes pas les barres qui entourent ton lit et pour que les perfusions ne soient pas arrachées par tes mouvements anarchiques. Tu ressembles de plus en plus à une bête prise au piège, et la terreur qu'on lit dans ton regard me fait mal. J'ai essayé de te toucher, mais tout ton être s'est rétracté et mes paroles d'apaisement n'y font rien. Tu te tasses comme pour te cacher, l'épouvante te fait te recroqueviller dans ce lit dont tu ne peux sortir. Je comprends soudain : tu ne me reconnais pas, et je me mets à sangloter tant me déçoit cet instant si espéré depuis des semaines.

Je vais me ressaisir dans le couloir. Je ne tiens pas à augmenter ta frayeur. Heureusement survient la plus souriante des infirmières, qui me force à revenir auprès de toi : il faut encore plus de présence, m'explique-t-elle, encore plus de mots, plus d'amour. Tu es entré dans la phase dite du « coma vigile ». Je ne sais pas ce que tu vois, ce que tu entends, mais je parle, je te parle, dans l'attente d'un signe qui ne vient pas. Tu ne me quittes pas du regard, mais ton expression ne change pas. Traqué, piégé, tu me rappelles ces tigres que l'on montre, attrapés dans des filets, dont les yeux dilatés expriment la panique. Comment t'apprivoiser ? Comment reprendre contact avec toi, parfait inconnu ? Durant toutes ces semaines, tu étais mon fils blessé, amoindri, mais reprenant petit à petit figure humaine. Aujourd'hui tu respires, tes yeux sont ouverts, mais rien ne te ressemble plus.

Vais-je regretter les jours passés ? Il me semblait qu'une forme d'entente se manifestait par le contact des mains, les chuchotements, les caresses subies, peut-être, mais qui faisaient en sorte que les heures passaient, gagnées une à une, rassurantes. Depuis lors, tout a changé. Je me sens dans la peau du dompteur affrontant un animal sauvage. À chaque geste, tu recules, comme prêt à bondir, tes yeux fous me fixent, je n'y lis que haine et colère, ton visage n'est plus qu'un masque grimaçant. Est-ce le prix à payer pour que tu reviennes à la conscience ?

On me tend une cuiller en plastique, un petit bol de compote, on me pousse gentiment vers toi. J'hésite, intimidée : vas-tu me rejeter comme à chacune de mes tentatives d'approche ? Apparemment, les filles ont déjà essayé de te nourrir. Je vois passer dans tes yeux une petite lueur d'intérêt. Il y a aussi ta façon de humer l'air comme si tu pressentais un plaisir gourmand. Dès que j'esquisse un geste vers ta bouche, tu te jettes sur la cuillère et la broie entre tes dents. Je comprends alors le pourquoi d'un ustensile aussi laid : du métal te casserait les quelques dents qui te restent ! Après ces signes d'avidité, je réussis à te faire absorber la pulpe sucrée comme je faisais dans ta prime enfance, ouvrant la bouche et mimant la déglutition en même temps que toi. Des larmes ruissellent sur mes joues, tant le bonheur de te nourrir est grand. La peur, la haine ont quitté tes yeux. Mais je n'y discerne encore aucun signe, aucune trace d'amour, rien qui me laisse entendre que tu m'aurais reconnue.

Autrefois, même dans les pires moments, je savais être ta mère aimée. Une scène en particulier me revient en mémoire : tu t'es traîné jusque chez moi alors que je ne savais où te situer depuis des mois ; surgi à l'entrée du salon où je lisais, immense, juché sur tes bottes à talons, les deux bras tendus vers moi dans un geste suppliant, tu n'as pu que bredouiller : « M'man, j'ai mal. » Je n'avais pas eu besoin de ces mots pour m'en rendre compte. Du bout des doigts jusqu'aux épaules, tes mains, tes bras paraissaient sortis d'un bain de teinture bleue. Un rictus tirait ta bouche de côté. Seuls tes yeux tendres me rassuraient. Transporté d'urgence à l'hôpital Fernand-Vidal, j'ai appris à cette occasion que l'empoisonnement à l'ergot de seigle pouvait se révéler mortel. Cette fois encore, la confiance que tu me portais t'avait sauvé !

Sitôt ces quelques cuillerées avalées, tu te rendors, pareil au nourrisson repu qui sombre instantanément dans le sommeil.

Apparemment apaisé, mais toujours dans le plus complet silence. Pas un son, pas même le moindre grognement de plaisir. Pourtant je t'ai parlé, je t'ai questionné tout au long de ce premier repas. Tu me regardais, indifférent, uniquement intéressé par la cuiller pleine et par le bol qui se vidait, tes yeux ne quittant plus ma main, jusqu'à loucher quand je l'approchais de ta bouche grande ouverte.

Combien de temps aurai-je à endurer ce mutisme ? Tant que ton cerveau restait assoupi, que tes yeux étaient clos, que ton corps, pantin de chiffon, se laissait soulever, retourner, soigner, panser puis à nouveau coucher, et que cette chorégraphie se déroulait sans mot dire, je n'avais qu'un espoir, celui de te voir « revenir » de cet entre-deux, entre vie et mort. Aujourd'hui tu es là, la tête rehaussée par des coussins, tes yeux me fixent sans exprimer le moindre signe de reconnaissance, sans agressivité non plus. Rien qui puisse trahir l'amorce d'une quelconque émotion.

Je te raconte des anecdotes de ton enfance. Ainsi cette pêche miraculeuse en Afrique. Disposés en demi-cercle, une quinzaine d'enfants tapent l'eau en cadence. Seuls Blancs parmi les petits Gabonais, ton frère et toi n'êtes pas en reste. C'est à qui fera le plus de bruit pour repousser les poissons dans le filet. Déjà la mer semble vivante, des centaines d'éclairs argentés frétillent à sa surface, tu ne peux retenir tes cris de joie ; sur la plage, les femmes se préparent à récolter cette manne tant espérée et à la préparer pour le séchage dans les cabanes à fumer, seul moyen de conserver la chair des plus grosses prises, les baracudas, qu'il faut d'abord assommer car ils peuvent mordre comme des chiens. Tu observes ce spectacle brutal, impressionné, au bord des larmes. Mais, lorsque tes compagnons se jettent à l'eau parmi le menu fretin, tu y plonges à ton tour, exultant et ravi.

Rien n'apparaît sur ton visage, ni sourire ni grimace. Tu n'enregistres pas ce que je raconte. Seuls tes yeux pers passent du vert profond au mordoré : est-ce le signe d'une perception, même infime, de ce que je tente de te transmettre ? Je me rappelle le regard de mon père, aussi changeant que le tien, passant subitement de la joie à la colère, ce qui avertissait son entourage et nous faisait aussitôt filer, qui sous le piano, ma cachette préférée, qui sur le palier, qui dans les toilettes, seul lieu équipé d'un verrou et servant de rendez-vous lorsque nous avions des secrets à nous révéler entre sœurs.

En te dévisageant, je te trouve des ressemblances avec ce grand-père trop tôt disparu, dont tu n'as pu apprécier le charme : couleur des yeux, lèvres ourlées comme dessinées au crayon brun, pommettes hautes transmises par ma grand-mère Olga, la Tatare, aussi prononcées sur ton visage que celles de Papa. Une chose aussi t'a été léguée par lui : le don pour les arts plastiques. Élève de Bourdelle dans les années vingt, il sculptait et dessinait admirablement. Retrouveras-tu ton coup de crayon, la délicatesse avec laquelle tu façonnais ces figurines en bois de cèdre ? Peindras-tu à nouveau tes grands tableaux flamboyant de couleurs acides ?

À l'issue d'une réunion de l'équipe médicale, on m'annonce qu'à moins d'un miracle tu ne retrouveras pas l'usage de la parole.

Ma colère est d'autant plus grande qu'une fois déjà on m'a assené des vérités qui ont été démenties quelques semaines plus tard. Non, tu n'es pas un légume, tu bouges, et même trop, tu respires, tu manges, tu pisses et défèques presque sans aide, les infirmières qui te soignent depuis les premiers jours déclarent constater des progrès quotidiens. Moi-même je lis dans tes yeux des sentiments de plus en plus diversifiés : au début, la terreur et la haine, puis un long temps d'indifférence, sauf pour la cuillère et le bol de compote, enfin un regard direct lorsque je pénètre dans ta chambre, changeant légèrement selon les inflexions de ma voix. Il est vrai qu'à ce jour tu n'as jamais répondu, fût-ce par un signe, à mes questions. Pourtant je suis persuadée que tu « reviens » et que cette absence d'expressivité n'est que temporaire.

J'ai décidé de te montrer des photos. J'en ai accumulé d'innombrables, au long des années. Je fais un tri, les classe chronologiquement. Je tresse ainsi le fil, aussi ténu soit-il, qui accrochera ta mémoire et remettra en marche ton cerveau engourdi.

Le premier cliché que je te présente te montre avec nous, tes parents, au jour de ta naissance, poussah aux cheveux longs et noirs encadrant un visage en forme de poire. Tu pesais ce matin-là 4,700 kilos et ta venue au monde, laborieuse, n'avait pas arrangé la forme insolite de ton crâne, accentuée par une houppette surmontant le « pain de sucre » dont les infirmières, gentiment, m'avaient indiqué qu'il disparaîtrait au bout de quelques jours. Comme tu étais laid, mais comme je te trouvais beau !... Ton attaque goulue contre mon sein, dès la première tétée, m'avait ravie. J'avais mis au monde un ogre, je jubilais !

Voilà qui me rappelle les premières cuillerées de ton nouveau repas. Mais, aujourd'hui, tu manges de tout, et, hormis quelques morsures à mes doigts imprudemment approchés de ta bouche pour y déposer une sucrerie, tu te civilises de jour en jour, et je constate que tu manifestes des préférences. Tu apprécies les douceurs que je t'apporte du dehors et rechignes à avaler les plats fades servis par l'hôpital. Comme je te comprends ! Ils n'ont rien de bien ragoûtant et j'ai été étonnée, les premiers temps, par ton avidité à engloutir sans les mâcher ces blanquettes et autres ragoûts aux rondelles de carottes bouillies que j'ai eu toute ma vie en horreur. Tu devais avoir rudement faim, ou bien était-ce l'incapacité de démêler le bon du mauvais, tout comme tu ne ressentais ni la douleur ni l'apaisement durant la phase de coma profond ?

Le récit de tes premières heures de vie ne suscite en toi aucune réaction notable. Je passe à la photo suivante. Nous deux à la montagne, en Italie. Tu tiens à peine sur tes skis, mais déjà tu dévales des pentes jalonnées de petites bosses, jambes écartées, bras en l'air ; on te voit trempé à force de te rouler dans la neige. Je te décris toutes les bêtises que tu as accumulées, j'en ris encore, et à ma grande joie je te vois esquisser une sorte de vague sourire. As-tu saisi quelques mots qui ont entrebâillé ta mémoire ? Mais je déchante aussitôt : c'est une simple envie de pisser, immédiatement assouvie, qui t'a fait prendre ce masque détendu, le même qui m'émerveillait lorsque, après la tétée, je voyais ton visage, crispé par les coliques, s'apaiser lors du soulagement.

Ce retour à la toute petite enfance de ce grand corps d'homme engendre une indescriptible angoisse. Si tu restes confiné à ce stade jusqu'à la fin de ta vie, qu'en sera-t-il de toi après ma mort ? Les premiers temps, je ne pensais qu'à ta survie, aux progrès accomplis dans la bataille contre l'œdème du cerveau, aux efforts à déployer pour que ta respiration s'émancipe de la mécanique salvatrice. Je ne pensais même pas aux membres broyés puis reconstitués par la chirurgienne aux mains d'or et à l'âme tendre qui avait préféré opérer sept heures d'affilée pour sauver ta jambe droite plutôt que de faire de toi un unijambiste. Tout cela est déjà du passé. Pour ce qui est du futur, je ne trouve pas de réponse, sauf à envisager la plus radicale. Déjà, aux tout premiers jours de cette tragédie, j'ai failli céder à mes penchants jusqu'au-boutistes. Cela a scandalisé mes amies en blanc, les seules à m'avoir affirmé que tous les espoirs étaient permis. Pourtant, en nourrissant cet adulte incarcéré dans un espace tout juste assez grand pour déployer sa longue carcasse, le voir quémander des sucreries comme un animal sauvage réduit en esclavage m'incite à ne plus écarter la solution extrême : je te reprends à la maison et, si rien n'évolue, je mets fin à ce cauchemar qui n'a que trop duré.

Ce matin, je reçois au courrier un mot de mon frère aîné. Tu portes le même prénom que lui. Il est peintre et demande des nouvelles. Son écriture anguleuse dénote une certaine tension. Il écrit : « Quoi de neuf ? Santé, travail, enfants ? Réponds ! Ci-joint ma dernière peinture. » Sur la photo, un tableau intitulé *L'Œuf d'or*. Je souris enfin... Sa lettre est comme une fenêtre ouvrant sur le ciel, qui laisse pénétrer l'air ct une lumière bienfaisante. Signe venu de l'enfance, censé me redonner de ces forces qui ne devraient pas me quitter. Mais cette pensée me harcèle : si je lâche prise, à qui pourras-tu t'accrocher ? Si je coule, ne vas-tu pas sombrer dans un océan de solitude ?

Je reprends ma pile de photos et en choisis une au hasard, comme on joue aux cartes. J'espère un as ! Celle qui sort me trouble :

une photo de famille. La seule où nous soyons tous réunis autour de notre mère.

Par ce somptueux après-midi d'automne, sœurs, enfants, maris entourent Babouchka qui sourit avec timidité comme elle faisait en présence d'inconnus. Tout en te présentant la photo, je te récite la litanie des prénoms de tes tantes, de tes cousins. Vous êtes quatorze : dix garçons, quatre filles. Tous beaux, rayonnants. J'ai devant moi ton plus jeune frère. Je m'appuie sur vous deux, mes aînés, et pose fièrement devant l'objectif.

Me voici bien embarrassée, car je ne peux pas ne pas évoquer aussi les disparus. Peut-être leurs prénoms te toucheront-ils enfin, feront-ils réagir ton cœur, si ce n'est ton cerveau ? Tes yeux me fixent, puis errent sur l'image avant de revenir sur moi, interrogatifs. Un instant, j'ai l'impression fugace que tu vas parler : tes lèvres bougent, ta bouche se referme, puis plus rien. À nouveau ton regard se voile d'indifférence, et très vite tu t'endors.

Ces brusques passages de la veille au sommeil m'inquiètent. Mais les infirmières me rassurent : tu es simplement très fatigué.

Petit à petit, tu resteras conscient de plus en plus longtemps. Et, un beau jour, tu parleras ! Patience, patience…

Je suis moi-même si lasse que ce jeu de devinettes consistant à te présenter des visages, des paysages supposés provoquer en toi un souvenir, un choc, une éclaircie, me mène chaque jour davantage au bord du désespoir. Car égrener ces souvenirs enfouis met à mal ma propre représentation du passé. Tout n'est pas aussi lisse et juste, pas aussi indolore que je me l'étais raconté à ce jour. À force de scruter le détail de ces images, j'y redécouvre ce qui m'a fait si mal et que j'ai mis des dizaines d'années à effacer, colmater. Seule assise en face de toi, de ton silence qui me force à dévider des phrases pour ne laisser entre nous aucun blanc, remplir les minutes qui passent, dont il me semble vital de ne briser le fil sous aucun prétexte, je finis par laisser échapper de ma bouche des mots sans doute oubliés, parce que trop douloureux. Ces divorces, ces échecs, ces regrets, ces projets enterrés dans le tiroir d'un producteur, ces deuils à répétition qui ont assombri mes plus brillantes réussites, je finis par en faire une drôle d'addition qui ne nous fait rire ni l'un ni l'autre. Et c'est sans oublier ton propre passé car, d'un cliché à l'autre, tu changes au gré de tes folies, mais chacun me rappelle les mêmes nuits d'angoisse, les mêmes départs en catastrophe pour des sauvetages in extremis…

Tu dors. Je me tais. À quoi bon poursuivre cette plongée ? Tu n'entends plus rien, heureusement. Il me faut maintenant reprendre des forces pour attaquer la journée de demain. Sera-t-elle enfin la bonne ?

Je reviens rechargée à bloc. J'ai en main un instantané exceptionnel ! En remuant les époques, j'ai fait remonter à la surface une image magique : Moscou, l'avenue Gorki, le glacier aux murs décorés de billes de verre que vous aviez, vous, mes trois fils, pour une fois solidaires, envahi de vos voix sonores et agressives, puis que vous aviez dépouillé de dizaines de ces mosaïques bleu des mers du Sud que j'avais découvertes en vidant vos poches, une fois rentrés à l'hôtel… Cette anecdote doit au moins te faire froncer les sourcils. Nous avions tant ri, nous avions tant craint d'être arrêtés pour « atteinte à la propriété de l'État »… L'évocation de cette époque bénie où nous étions tous réunis, et si heureux de l'être, doit ébranler les défenses qui t'empêchent de franchir le pas. De revenir dans le monde des vivants. D'atteindre au seuil de ta liberté.

… Cette liberté, qu'en as-tu fait, qu'a-t-elle fait de toi ? Il est vrai que, dès mes jeunes années, j'ai lutté pour m'affranchir et que j'ai tout fait pour vous insuffler aussi le goût de l'indépendance…

« J'ai faim ! »

Dès mon apparition dans ton champ de vision, ta voix a rompu le silence. Je chancelle, m'accroche au chambranle. Tu as parlé ! Tu t'es adressé à moi d'un ton péremptoire. Tes yeux me fixent, et, comme si nous ne nous étions pas quittés, tu enchaînes :

« Je veux du poulet avec des frites ! »

Je suis prise d'un fou rire et me précipite vers toi, te serre dans mes bras, te couvre de baisers.

Tu as l'air étonné, tu me dévisages comme si tu ne m'avais encore jamais vue.

Tu me prends peut-être pour une des infirmières qui passent sans relâche dans ton champ de vision. Pourtant, je ne suis pas en blanc, je ne porte pas de gants en latex, ni ne traîne dans un chariot l'attirail bruyant qui annonce les soins.

Depuis des semaines je te parle, depuis des jours je te montre des images de ta vie passée, depuis des dizaines d'années je suis ta mère, merde !

Tes yeux deviennent encore plus dubitatifs, ma soudaine colère t'impressionne, te choque, te braque.

Je commence à comprendre que tu en es à un stade transitoire : de gisant inconscient tu es d'abord passé à celui d'animal épouvanté et agressif ; aujourd'hui, te voici un enfant affamé, à la mémoire encore vacillante.

Il me faut faire un effort pour ne pas accuser ce nouveau coup : tu ne me reconnais pas, mais, comme me le répètent les jeunes femmes en blanc : patience, il fait des progrès d'heure en heure ! Accrochez-vous, il va bientôt vous revenir, n'en doutez pas !

J'ai l'impression de régresser parallèlement à tes progrès. J'étais plus vaillante aux premiers jours de cette affreuse aventure. Une profonde fatigue alourdit mes pas, je me traîne jusqu'à l'hôpital alors qu'il y a peu, j'ai sauté les volées de marches comme une jeune fille lorsqu'on m'a annoncé qu'on t'avait délivré de la machine chuintante qui te faisait respirer.

Maintenant qu'une sorte de langage t'est revenu, je devrais prendre un peu de recul. Retrouver mon équilibre pour mieux affronter la suite de cette bataille qui s'annonce longue et pleine de surprises. Mais je n'arrive pas à me détacher de ton chevet. J'ai peur de rater l'instant où tu récupéreras intégralement ta mémoire. Je veux croire que ce moment arrivera. Mais, de jour en jour, mes doutes se font plus aigus : qui seras-tu, au retour de ce long voyage ?

Un détail me rassure quelque peu : tu as prononcé ces quelques mots en français. Alors que tu parlais aussi bien le russe que l'anglais, tu t'es exprimé dans ta langue maternelle. La langue qui t'est revenue la première est celle du passé. As-tu oublié les autres ? Je hasarde quelques questions en russe, puis en anglais. Tes yeux écarquillés, ton mutisme me font comprendre que ces mots n'ont pas accès à ta conscience.

À l'une des jeunes femmes qui s'affairent

autour de ta jambe, je raconte que dans ton enfance tu étais le plus bavard de la bande de cousins qui passaient l'après-midi avec leur Babouchka, et qu'à cause de cela on te sur-nommait « l'homme-la-radio ». Soudain je vois ta main se dresser et faire ce mouvement des doigts bien particulier qui signifie « Ferme ton bec !... »

Cette fois, je ne peux plus douter que tu comprends parfaitement ce que je raconte !

Pressante, exaltée, bégayant de joie, secouant ta main que j'ai saisie entre les miennes, je te questionne : « Tu te souviens de Babouchka, et du jardin avec les grands chênes auxquels tu grimpais, et du jour où ton petit frère s'est cassé le bras en tombant du toit de la cabane à vélos, et de la voiture à pédales bleu-ciel, et des chiens, les sept bassets jaunes qui ont bouffé les pieds des meubles du salon, et des confitures qu'on confectionnait avec les fruits du vieux cognassier, et du jour où tu as fait un scan-dale en gare de Milan parce que Babouchka était descendue acheter des gâteaux à ton intention et t'avait laissé seul dans le coupé des wagons-lits, et...

« Tout doux, vous allez étouffer ! C'est trop pour lui aussi. Vous risquez de l'effrayer », dit l'infirmière.

Tu m'observes avec curiosité. Ta main emprisonnée dans les miennes ne s'en dégage pas. Je ressens même une petite pression amicale. Ces saynètes de ton enfance ont dû réveiller en toi quelques fragments de ton passé. Je reprends ma litanie :

« Tu te souviens du Chambon-sur-Lignon ? et de Saint-Georges où tu as appris à jouer de la balalaïka, et des étés passés avec moi dans tant de pays divers où je travaillais et réorganisais notre vie de famille avec tes frères, et de ces voyages encombrés d'énormes cantines en fer que les douaniers nous obligeaient à vider sur le quai, en pleine nuit, quand nous prenions le train, et directement par terre lorsque nous franchissions en voiture une frontière difficile ! »

Ma véhémence est retombée, maintenant je parle plus doucement en te caressant la main et le visage, tu n'as plus peur, mais tu ne réponds toujours pas à mes questions. Tu as même l'air de te rendormir sous l'effet de mes caresses.

Après ce premier vrai contact, je vais te laisser te reposer. Moi aussi, j'en ai besoin !

Ce matin j'ai apporté du papier, des crayons, une bouteille d'encre de Chine, des stylets, des pinceaux, des pastels à l'huile, tout un jeu de feutres aux couleurs pétantes, de ceux que tu préférais. J'étale ces trésors sur la table à roulettes qui sert à poser ta nourriture, tes médicaments, et à présent ces objets qui devraient te redonner l'envie de faire, d'agir, de reprendre le cours fracassé de ta vie.

D'un geste rageur, tu envoies balader par terre toutes ces réminiscences.

Je les ramasse et les pose sur ton lit, près de ta jambe droite, celle qui est bardée de ferraille et que tu ne bouges plus aussi brusquement. Tes yeux furieux me fixent comme pour me punir d'avoir entrouvert ces nouveaux espaces.

« T'as pas une clope ? »

Je sursaute, car la voix, la demande sont si triviales, comme surgies d'un très lointain passé, surtout agressives, terriblement choquantes, adressées à moi en tant que mère – il y a longtemps que j'ai cessé de fumer et c'est naturellement un sujet de disputes permanentes avec mes fils. Mais je réalise aussitôt mon erreur :

« T'es pas du coin, toi.
Qu'est-ce que tu fous là ? »

Tu ne m'as donc toujours pas reconnue… Je ravale ma déception et ne tente plus rien. Je ne veux plus continuer à te pousser dans tes retranchements. Je n'en ai d'ailleurs plus la force. Ce mystère m'épouvante. Tu as perdu la mémoire, tu es un autre. Malheureusement, celui que j'ai devant moi ressemble à l'enfant terrible que j'ai connu dans les années noires, celles de tous les excès, mais sans l'amour qui nous unissait alors et faisait de ces épreuves un approfondissement de notre complicité. Je suis sidérée par la soudaine perfection de ton élocution. Tu ne soufflais mot depuis des semaines et, tout de go, voici que tu te mets à t'exprimer sans la moindre difficulté, avec la même voix, les mêmes intonations, et, surtout, la même agressivité qu'il y a vingt ans...

Peut-être est-ce là une nouvelle étape dans ton voyage de retour vers la réalité présente ? Mais ne vas-tu pas t'arrêter en route, rester un étranger hostile ? Je te quitte non sans remarquer ta main qui passe et repasse sur les crayons et stylos en les faisant rouler et cliqueter les uns contre les autres... Peut-être reconnaîtras-tu ceux dont tu te servais si talentueusement il y a à peine trois mois ?

J'ai mis à profit cette période de doute pour engager quelques démarches indispensables. Tout est compliqué : l'homme qui conduisait la voiture qui vous a fauchés possédait permis de conduire et assurance ; ce qui, paraît-il, n'est pas toujours le cas ! Donc, normalement, vous devez être pris en charge par la compagnie du chauffard. Vous étiez à pied, l'un a été tué sur le coup, les trois autres grièvement blessés. J'ai appris par le rapport de police que, malgré tout, c'est toi qui as eu le plus de chance, si l'on peut dire ! Tes malheureux compagnons sont paralysés à vie et resteront en fauteuil roulant. Ton corps est gravement atteint, mais, d'après la chirurgienne, il n'est plus exclu que tu retrouves une forme d'autonomie. Pour ce qui est de ton cerveau, les avis sont partagés. Ceux qui affirmaient que tu ne parlerais jamais plus ont cessé d'émettre une opinion. Pour les autres, la prudence est devenue de mise. Seules les infirmières me redonnent espoir : pour elles, tu es sur le chemin du retour, elles ne doutent pas de l'imminence de retrouvailles.

Une surprise m'attend lorsque je pénètre aujourd'hui dans ta chambre. Sur la tablette, une feuille de papier couverte de zigzags de diverses couleurs. Tu as utilisé les feutres fluo, mais on décèle dans tes traits la rage qui t'habite, le beau papier est crevé en maints endroits et rien ne rappelle la finesse des croquis que tu ne cessais d'esquisser à tout bout de champ.

J'ai gardé en mémoire le dessin d'un oiseau blessé, d'une délicatesse qui m'émeut encore. À présent je lis dans tes yeux, j'interroge ta douleur ; te rends-tu compte de l'état dans lequel tu te trouves ? réalises-tu l'étendue de la catastrophe qui t'est tombée dessus ? est-ce la reprise de conscience qui donne à ton regard cette tristesse froide, et plaque sur ton visage ce masque tragique ?

Et ces traits vengeurs ressemblent plus à ce que vous me montriez, ton copain Combaz et toi, à la grande époque de vos débordements. On en voyait de toutes les couleurs, au sens propre comme au figuré ! Tu avais d'ailleurs longtemps conservé un de ses tableaux sous ton lit, jusqu'à ce que la gloire l'ait rattrapé et que tes besoins d'argent soient devenus si pressants que tu l'as bradé.

Je vais faire faire une copie du dessin à l'oiseau et te l'apporterai : peut-être alors reconnaîtras-tu ce signe d'autrefois ?

Tu ne parles toujours pas, tu somnoles, sans doute épuisé par la reprise de contact trop violente avec la réalité. Seule ta main s'agite. Peut-être vois-tu en rêve un tableau se composer ? Comme mes chiens courant dans leur sommeil et qui aboient contre un ennemi imaginaire ? Ton visage détendu est presque souriant : l'œuvre doit être belle !

J'ai à nouveau dû te raccourcir les cheveux. Est-ce le fait d'être immobilisé sur un lit d'hôpital qui leur donne cette vigueur? Tes yeux ne me quittent pas, une expression nouvelle y est apparue : un doute, un questionnement, mais aussi comme des lueurs de joie, timides encore, vite effacées, mais qui me comblent… J'en profite pour te raconter, encore et encore.

Ce jour où, accomplissant ce geste répété tout au long de ton enfance, je t'avais par mégarde entaillé le haut de l'oreille en même temps qu'une lourde boucle. Le sang avait giclé sur mon chemisier et nous nous étions mis à hurler en chœur, toi de douleur, moi d'effroi, pour finir par nous rouler dans l'herbe de la pelouse, pris d'un fou rire qui avait alerté toute la smalah des cousins et frangins, puis Babouchka qui, après m'avoir grondée pour cette maladresse, s'était elle aussi mise à pouffer aux larmes…

Je pose mon doigt sur la cicatrice à peine visible sur l'ourlet de ton oreille gauche. À quelques centimètres, une autre cicatrice d'un rose violacé, encore protubérante : c'est là que l'os du crâne a été fendu sous le poids de la voiture qui t'a traîné sur plusieurs mètres. Je n'ose la frôler de peur qu'une sensation peut-être douloureuse nous fasse perdre cette harmonie fugace où mes mains dans ta crinière t'apaisent, où une forme de confiance réapparaît après ces longs jours d'agressivité et de peur.

Pas une fois je ne t'ai demandé si tu savais qui je suis… Je n'ose le faire, par crainte de recevoir une réponse blessante. Moi qui suis toujours directe et décidée dans la vie, je me tiens devant toi comme une fillette intimidée. Cette catastrophe nous a rendus si différents de ce que nous étions ! Non que nous soyons abattus par elle : elle est désormais derrière nous, et j'en ai malheureusement vu d'autres ! Mais toi comme moi avons subi un glissement, en nous, dans nos personnalités.

Toi pour cause de coma, moi par effroi, éperdue face à cette nouveauté : mon enfant devenu un étranger.

Jusqu'à ce jour, j'avais connu des séparations brutales :

Mon père adoré, mort dans la rue en courant après l'autobus pour se rendre à une conférence sur les Papous ! Tombé place de la République, à Clichy, la tête dans les fleurs... J'avais treize ans.

Ma grand-mère – petite poupée au menton retenu par un foulard multicolore avec deux petits coins sur le dessus de la tête qui la faisaient ressembler à un œuf de Pâques – allongée, morte, sur la table de la salle à manger... J'avais six ans.

Maman, agonisant longuement d'un cancer, à qui, dans une tentative désespérée pour la ranimer, j'ai dû fracturer plusieurs côtes, ce que je n'ai jamais pu me pardonner... J'avais trente-quatre ans.

Odile, ma sœur, ma splendeur blonde, ma star de cinéma, ma coquette, celle qui joua jusqu'à son dernier souffle, recueilli sur ses lèvres toujours aussi roses... J'avais quarante-deux ans.

Mon Vladimir, mon Volodia, ma passion, mon poète, ma Russie, mon enfant aussi, brisé par l'humiliation et les incohérences du destin. J'avais aussi quarante-deux ans.

Hélène, ma sœur, ma tragédienne, ma voix d'or aux sombres résonances, ma rieuse amoureuse, mon copain des mauvais jours, qui se fracasse sur les blocs du granit maudit de son chef-d'œuvre de bâtisseuse : un escalier de pierre au flanc de sa maison de Gordes... J'avais cinquante ans.

Enfin, et non pour terminer, hélas, ma petite-fille Mirella, quatre ans de vie, de joie, d'éclatant talent pour l'expression artistique, dansant, chantant du matin au soir jusqu'à cet instant funeste où son cerveau s'est éteint... J'avais soixante ans.

Depuis, je ne compte plus, jusqu'à ce jour où l'on me chope au téléphone, en pleine répétition, pour m'annoncer que mon fils aîné s'est fait renverser par un chauffard.

Cette pesante expérience de la mort d'autrui, de mes plus proches, de mes plus indispensables, se réduit à une douleur sourde mais désormais supportable. Ils sont morts, je vis – pour eux aussi ! Je réussis à respirer, à travailler, j'ai fait la paix avec la mort. À bientôt, madame la Faucheuse, je le sais !

Mais que cette terrifiante aventure d'un cerveau vidé de toute sa culture, de dizaines d'années de lecture, de musique, de sensations extrêmes, que ce cerveau ne soit plus soudain que celui d'un être exclusivement intéressé par la bouffe, par ses aises, son contentement physique, voilà qui me fait presque regretter que la mort l'ait épargné.

Paradoxe ! Une mère épie le retour d'une étincelle de vie au long des nuits impitoyables de la salle de réanimation, et, lorsqu'elle surgit, elle en est effrayée, presque déçue !

Qui est-il, cet être, en ce moment précis, ronronnant comme un chat voluptueux sous mes doigts habiles ? Est-ce encore mon fils, ou bien un inconnu ?

Cette fois, je me lance. Après avoir fait des pirojkis mis au four juste avant la visite, je dis d'un air naturel, mais le cœur battant :

« C'est ma spécialité, tu te souviens ?

– J'sais pas… mais c'est vachement bon ! T'es sympa, ma vieille, de m'apporter ça !

Puis, après un long silence :

– Pourquoi je suis là avec toute cette ferraille ? J'y comprends que dalle. T'aurais pas de la thune, pour les clopes ? J'me taperais bien un petit joint… »

Ces derniers mots me confirment, s'il en était besoin, que nous sommes toujours deux étrangers l'un pour l'autre. Au mieux, moi, une nouvelle complice ; au pire, une bonne femme arrangeante ; toi, un ado perdu dans un corps d'homme.

Notre différence d'âge est faible. Tu es né alors que j'avais à peine dix-huit ans. Ta vie de fêtard, tes excès, ta mâchoire édentée pareille à celle d'un vieillard te donnent une allure trompeuse, et ces membres brisés, cette posture avachie, dans ton lit à barreaux, te font paraître beaucoup plus que ton âge. Moi, malgré ces jours et ces nuits sans répit, grâce à la discipline liée au métier d'actrice, je résiste plutôt bien. Dans cette étrange connivence qui s'est établie entre nous, ce n'est pas le lien familial qui nous unit. Pour toi, je ne suis pas ta mère, mais une nouvelle copine un peu tapée, mais cool et sympa, à qui on peut demander de menus services. Pour moi, tu es un personnage déroutant dont peu de choses rappellent le passé et que je m'effraie de voir apparaître au fil de cette nouvelle relation. Jusqu'où, la métamorphose ?

Je te fais remarquer que nous sommes dans un hôpital et que fumer est strictement interdit. Sans même que j'aie eu le temps de citer le produit illicite, tu bondis presque hors des barreaux et je retrouve instantanément la fureur du fauve des premières phases de « coma vigile ».

Prévenues comme par télépathie, mes

amies en blanc surgissent, te rabrouent gentiment, me font sortir dans le couloir, éclatent de rire :

« Il vous en a demandé ? Ne soyez pas fâchée : ils sont presque tous comme ça ! Allez, remettez-vous ! »

Je m'écroule contre le mur, me laisse tomber à terre. Hoquetant de rire, je tente de leur expliquer l'inexplicable. Ce fils et cette mère étaient il y a presque trente ans des protagonistes de l'épopée des années 70 partagée par des millions d'humains. Dès ses quinze ans, lui avait disparu dans le courant tempétueux des consommateurs de LSD, des cueilleurs de champignons hallucinogènes, quêteurs de ces libertés illusoires qui semblent offrir du génie, parmi lesquels rares sont ceux à avoir laissé une trace… Puis ce furent les années noires de la « reine » héroïne. Tant et tant s'y brisèrent ce qu'il leur restait d'os sous la peau ! D'aucuns réussirent péniblement à en sortir grâce à une écoute, une aide, une empathie sans faille d'un groupe de merveilleuses personnes (il en fallait beaucoup !). Et aussi de l'amour en surdose, naturellement maternel, mais aussi artistique, pour essayer de comprendre les ressorts de cette recherche morbide, de pénétrer ce monde inconnu et terrifiant. Pour finir, quelques années plus tard, après qu'une extraordinaire remontée des enfers eut permis à cet homme de réapparaître debout, l'intégrité de son corps retrouvée, les idées claires, les pinceaux en main, surtout sa liberté brandie sous le soleil et dans le vent, patatras !

Le voici, cassé non par la drogue, mais par ce voyage absurde vers d'incommensurables abîmes d'où il semble ne pas vouloir revenir.

Je réponds :

« Ce n'est pas le joint qu'il a réclamé qui me fait peur. C'est qu'il est en retard de trente ans par rapport à aujourd'hui !

Encore des rires, encore des paroles apaisantes :

– Ne vous frappez pas, il revient de loin ! Patience…

Ce matin, cherchant une montre, le brace-
let de la mienne ayant lâché, j'ai mis la main
sur un anneau d'or que tu avais rapporté
d'un voyage au Vietnam. Tout faraud, tu
m'avais expliqué que c'était du métal pur
comme on n'en trouve pas par ici... À dire
vrai, en appuyant assez fort, on peut lui
imprimer une forme ovale et je suppose qu'à
l'époque on mordait dedans pour en vérifier
la teneur. D'où l'habitude qu'ont les cham-
pions de poser avec leur médaille entre les
dents ?

J'ai passé en revue tous les cadeaux que tu
m'avais faits, enfant, depuis la céramique
verdâtre représentant (il y faut de l'imagination) un cheval, jusqu'aux cendriers bancals
et autres chefs-d'œuvre fabriqués à l'école.
Puis, petit à petit, ton art s'est affirmé, tu as
sculpté de plus en plus d'objets délicats, souvent dans des bois odorants, orientaux, objets

rappelant curieusement les miniatures persanes dont ton grand-père Aminholla, compositeur de grand talent, t'avait sans doute fait découvrir la beauté en tes années de prime adolescence.

Comme je lui en avais voulu alors de me cacher vos rencontres ! Déjà, je ne savais où te chercher, tu avais fui la maison, je te croyais à l'étranger, « solitaire et crevant de faim », or tu squattais là-bas parmi les hordes de chats, gavé de pâtisseries et de pistaches iraniennes. Ta grand-mère « Babagniole », comme vous l'aviez baptisée, avait résolu de garder le secret, malgré mes appels angoissés. Rivalité somme toute assez banale entre une belle-mère et sa bru. Il faut aussi ajouter à cela sa jalousie d'actrice : quoique d'origine russe, elle avait été une star du cinéma muet allemand... !

Plus tard, tu t'es mis à la peinture. De retour à la maison, nous avons même réussi à organiser une exposition qui obtint un certain succès.

Que reste-t-il de tout cela, hormis le gribouillage rageur de l'autre jour ? Comme pour nos retrouvailles, il faudra sûrement un long cheminement pour revenir de ces hachures hystériques aux fins déliés de tes portraits féminins !

Le jeune « spécialiste » (on peut se demander de quoi) qui, aux premiers jours, m'avait assené un verdict aussi désastreux qu'erroné, réapparaît dans les corridors de l'étage. Je suis si heureuse des résultats découverts jour après jour, même s'ils sont frustrants, que je ne peux m'empêcher de lui sauter au cou, geste qu'il esquive en reculant avec vivacité, effrayé par mon élan, croyant peut-être à une agression de ma part.

Je le rassure et, prenant ma voix la plus suave, lui pose la question suivante :

« Vous m'aviez dit qu'il resterait handicapé à vie : qu'en pensez-vous, ce soir ? Vous m'aviez également dit qu'il ne parlerait jamais plus : vous l'avez entendu ? D'après vous, quand peut-on espérer le voir marcher, courir, chanter, danser peut-être ? »

J'ai presque pitié de lui tant son visage docte de jeune Diafoirus s'est soudain décomposé.

« Croyez bien, madame, que nous sommes très heureux… et même, dirais-je, étonnés… que nous sommes heureusement étonnés… des progrès de notre patient… je veux dire de votre fils. Il réagit d'une façon étonnante… oui, c'est bien le mot, étonnante… au vu de ce qu'il a subi, il aurait pu… je veux dire : il aura… bien entendu, il faut tenir compte… »

Je coupe court à ces aveux alambiqués qui me gênent plus qu'ils ne me procurent de plaisir. Je lui tourne le dos et frappe à la porte de « mon patient de fils ».

Je te trouve soulagé d'une partie de ce que tu appelles la « ferraille ». On a refait tes pansements, tu es lavé, rasé de frais (à ma demande), et tes yeux sont clairs. Les sombres éclairs des jours passés ont fait place à une sorte de regard neutre. Ni joie particulière, ni reconnaissance manifeste : un *statu quo* de bon augure. Avec les provisions que je t'apporte, je suis sûre d'obtenir au moins un sourire. Même édenté, il me réchauffera.

Je reçois bien mieux : tu me saisis par le cou, d'une poigne puissante, tu m'attires vers toi et m'embrasses.

« C'est bon, ce que tu fabriques ! Apportes-en plus : comme ça, je régalerai les copains ! »

Il est vrai que j'ai vu rôder dans les couloirs des éclopés de toute sorte convergeant vers ce lieu où vit et – je l'espère – renaît mon fils.

Je suis donc redevenue la « nourricière » : un pas de plus vers la renaissance, la reconnaissance du ventre !

Déjà, autrefois, un petit bonhomme de quatre ans m'avait gratifiée de ce titre, pour moi l'un des plus beaux, de « cuisinière ». Il s'agissait pour lui, enfant d'une famille recomposée, comme on dit aujourd'hui, de faire accepter à sa propre mère l'intruse qui faisait si bien à manger !

Même si je dois nourrir tout l'hôpital, je le ferai jour après jour, j'y arriverai ! Si je peux amadouer ainsi le fauve en cage, faire entrevoir quelques bribes de notre passé à mon grand fils égaré, je suis prête à faire des prodiges !

Le prodige a eu lieu ! Avant même que j'aie heurté la porte, les bras encombrés de paquets divers, la « souriante » me glisse sous les yeux une feuille blanche :

– Lisez, madame ! C'est un mot de votre revenant ! dit-elle en laissant éclater sa joie.

Son rire me trouble, je n'y vois plus. Mes genoux flanchent, je lâche les provisions qui tombent à terre dans un fracas de verre brisé, je saisis la feuille, la porte à mes lèvres, la hume plutôt que je ne la déchiffre. Je veux l'appréhender par tous mes sens, l'intégrer à mon être, la faire pénétrer en moi ! À peine déchiffrables, des mots hachurés, sur la partie médiane, en diagonale, ceux que j'attends depuis des jours et des nuits sans fin :

« C'est le doc qui lui a soufflé ce message, peut-être pour se faire pardonner, dit-elle en s'esclaffant sous cape. Votre bébé se souvient qu'il a une mère, mais n'espérez pas trop encore. Peut-être ne fera-t-il pas le rapprochement, même s'il vous aime bien ? »

Comme à chaque progrès, il y a un *mais*… Je me prépare à cette nouvelle épreuve, et, après avoir ramassé mes provisions ou ce qu'il en reste, je pousse la porte et m'engouffre dans l'arène, prête au combat.

Tu es assoupi, bizarrement recroquevillé en position fœtale malgré le plâtre de ta jambe gauche, les poings sous le menton. Tu ressembles presque à l'enfant que tu as été : de profil, ta bouche entrouverte dans une moue boudeuse me rappelle tes gros chagrins lorsque nous nous affrontions, après tes accès de colère.

Une scène me revient en mémoire. Tu dois avoir onze ans. Je t'ai puni pour une grosse bêtise. Révolté, tu hurles que tu vas te suicider. Je t'attrape, te traîne jusque dans ta chambre, et, avant de t'enfermer, te dis froidement :

« Ou tu quittes la maison, ou tu reçois dix coups de ceinture ! »

Sitôt la porte refermée, je me mets à pleurer. Je sais que je joue gros. Me souvenant de ma propre enfance, je crains le pire. Moi je serais partie, tenant tête jusqu'au bout à mon père. C'est d'ailleurs ainsi que j'ai définitivement quitté l'école, à douze ans et demi. Sauf que Papa, lui, ne m'a jamais fouettée, même si cela lui arrivait parfois avec mes sœurs…

J'attends dans le hall de la maison, tremblante d'appréhension. J'entends la porte de ta chambre qui se rouvre, puis tes pas hésitants. Tu apparais en haut de l'escalier, je découvre tes yeux emplis de larmes, ton nez rougi, tes lèvres gonflées. Tu as dû chialer tout ton soûl. Tu t'avances et, sans un mot, te penches sur l'un des tabourets et me présentes ton postérieur.

J'ai presque envie de rire. Mais, solennellement, je t'assène les dix coups du large ceinturon à boucle de cuivre qui fait partie de la mise en scène. Ça fait mal, tu ne l'oublieras pas.

« Et que jamais plus tu ne me dises une chose pareille ! »

Tu te jettes dans mes bras et, sanglotant, tu murmures : « Pardon, M'man. »

Comme je voudrais t'étreindre, te bercer comme jadis, t'entendre murmurer : *M'man*... Mais tu dors, emprisonné dans les barreaux de ton lit d'hôpital, et je n'ose te réveiller par crainte d'affronter à nouveau ton amnésie.

Demain, je recommencerai à sonder et stimuler ta mémoire. À chaque jour suffisent sa peine, ses espoirs et ses désillusions.

Les jours suivants, je les ai vécus comme en ces mauvais rêves qui au réveil vous laissent abattus, amers, hésitant à quitter le lit, redoutant d'affronter le dehors autant que son propre monde intérieur.

Mais, au moment le plus inattendu, alors que je suis en train de t'expliquer la composition de notre spectacle familial, à la salle des fêtes de Clichy où je fis jadis mes débuts sur scène, tu me regardes soudain avec des yeux brouillés de larmes, le menton tremblotant ; les mains tendues vers moi, tu murmures :

« C'est toi, Maman ? C'est toi, dis ? Qu'est-ce que je fais là ? Qu'est-ce qui s'est passé ? Pourquoi je n'y comprends rien ? Ça fait un bout de temps que je me demande qui est cette femme qui me parle. Je savais que je te connaissais, mais j'arrivais pas à débrouiller ce que j'avais dans le cigare...

J'ai peur, Maman, j'ai peur ! Qu'est-ce qu'ils m'ont fait ? Où on est ? Ramène-moi à la maison, je ne veux plus rester ici. J'ai trop mal, je vais tout arracher... »

Et, comme un loup blessé, tu t'es mis à hurler, t'accrochant aux barreaux qui t'empêchent de chuter. Pris d'un affolement convulsif, tu te cognes contre les montants, faisant résonner ta ferraille, tes plâtres, ton crâne, le plateau que tu as rejeté, la bouteille de la perfusion qui se balance au bout de son tuyau.

Tu n'as pas eu le temps de t'extraire de ta cage. Une piqûre rapidement administrée par un infirmier encore jamais vu a réduit au silence notre premier véritable rendez-vous.

« Il faut tout reprendre par le menu : depuis quand te reviennent des images de ces jours passés ?

– Mais j'en sais rien ! On marchait pour aller à une fête, puis plus rien… C'est y a pas longtemps qu'y sont venus me poser des questions. C'est là, que j'ai su, pour mes potes. Mais ce que je veux, c'est rentrer à la maison ! »

La conversation ne va pas plus loin. Nous butons sur cet instant décisif : le choc inattendu, paralysant. Plus de sensations, plus de souvenirs, plus de conscience des semaines durant. Puis le retour à une réalité cauchemardesque : impossible de bouger, de se souvenir, de décider. Soumission totale aux soins, aux diktats des médecins, et, par surcroît, incapacité de cette femme, reconnue enfin comme ta propre mère, de rien entreprendre, d'organiser, de t'aider comme elle a toujours fait, jusque dans des situations qui semblaient encore plus insoutenables. Seulement, à l'époque, ton corps ne nécessitait rien d'autre qu'abstinence et repos. Aujourd'hui, il requiert quantité d'actes chirurgicaux, de la rééducation, mais, pardessus tout, une réappropriation de ta personnalité, une patiente recherche de tous les éclats de ta mémoire éparpillée dans ce néant comateux dont tu ne fais qu'émerger.

« Maman, j'ai peur... Maman, j'ai mal... Maman, qu'est-ce que je vais devenir ?... Maman, j'en ai marre... Maman, Maman... »

Combien je l'ai attendu, ce mot ! Désormais, je l'entends à n'en plus pouvoir... Car je ne peux rien, et il me ramène sans cesse à mes propres limites. Mais lorsque, épuisée, je baisse la tête et m'enfouis le visage entre les mains pour ne pas te montrer mon désarroi, tu me passes une main fraternelle dans les cheveux et me rabroues d'un : « Allez, M'man, tu vas pas craquer ! J'suis pas encore cané... Y m'auront pas... »

Qui sont-ils « ceux » qui veulent t'avoir ?

Quel combat es-tu prêt à engager? Contre quel ennemi vas-tu encore te battre?

En tout cas, je suis là avec toi, quoi qu'il arrive, mon fils.

Les semaines, les mois passent. Accélération du temps, amplifiée par les gestes répétitifs que ton état exige. Pas un jour sans piqûres : pour éviter la phlébite, pour analyser ton sang, pour atténuer la douleur toujours tapie aux quatre coins de ton corps, sans compter celle qui se propage à ton esprit.

Nous avons quitté l'hôpital de ta résurrection. Nous sommes désormais ballottés d'un centre de rééducation à un autre, d'un lieu hautement spécialisé dans la chirurgie réparatrice à divers établissements de cure par la thalassothérapie, avec retour d'urgence sur Paris pour quelques rectifications chirurgicales...

Car chaque jour révèle son lot de nouvelles extravagances. Pour éviter les blessures provoquées par les broches dépassant de ta jambe droite, ayant plâtré la jambe gauche, indemne, de la cheville à mi-cuisse, l'articulation du genou immobilisée de la sorte a fabriqué, durant le coma, un « ostéome », une grosse masse osseuse qui a bloqué ledit genou !

Au cours d'une des séances épiques auxquelles j'ai pu assister, deux infirmières déterminées ont scié le plâtre et ont tenté, en vain, de te faire plier la jambe. Tes hurlements n'ont pas refréné leur acharnement. Te voyant en nage, proche de la syncope, j'ai fait cesser ce supplice et nous sommes repartis vers d'autres épreuves.

Un havre de paix : Granville, où je peux me reposer auprès de toi sans me sentir coupable, comme lorsque j'entendais tes gémissements auxquels je ne pouvais apporter aucun soulagement. Ici, tout est bien conçu par une équipe que dirige le bon docteur Moisson. Il a su démêler l'imbroglio de ces fractures, déchirures, blessures, et, surtout, atteintes au cerveau dont, jusque-là, on ne nous disait mot.

Dans une chambre à la fenêtre ouvrant sur la mer où les cris des mouettes, leurs piqués sur la plage en contrebas, nous offrent un spectacle permanent, nous pouvons enfin parler, apaisés, presque heureux.

Ces longues conversations, souvent entre-coupées de rires, ne ressemblent en rien à ce que nous avons vécu jusqu'ici. Notre relation a bizarrement évolué, par sauts successifs.

Moi, mère adulte, sûre d'elle-même ; toi, fils fantasque, généreux de ses biens comme de ses forces, toujours prêt à larguer les amarres ; moi, anxieuse pour ta vie, mais épatée par ton imagination et tes talents divers ; toi, abusant de tous les expédients qui mènent aux limites du possible ; moi, terrienne plus que tout, effrayée par tes arra-chements à la pesanteur, mais finissant par me laisser emporter bon gré, mal gré, dans tes espaces incandescents...

Puis cette plage de silence où seul ton corps inerte a répondu à mes appels angois-sés.

Enfin ce retour inespéré à la conscience, mais aussi ce désenchantement face à ta régression de jeune fauve qui se laissait caresser puis se rebiffait, prêt à griffer...

Aujourd'hui, dans cette cellule qui, comme une bulle, nous protège des agressions extérieures, nous nous cherchons : toi, adulte qu'on dirait à peine sorti de l'adolescence, dont la mémoire vacillante n'autorise encore aucune échappatoire vers le passé. Moi, adolescente vieillie et usée comme peut l'être un galet par le mouvement perpétuel des vagues et qui roule malgré tout vers la lumière.

Je le martèle à ton intention : tu te lèveras, tu remarcheras, tu retrouveras tout ce qui était ta vie ce matin-là, ta force, ta liberté, tes amis, ton art, tu oublieras cette nuit où tout a été brisé, écrasé, anéanti, effacé. Tu es là, nous sommes ensemble. On va retrouver le chemin menant aux belles folies, à la bonne vie.

Un trait fin, légèrement tremblé, traverse la feuille blanche, puis, s'élevant vers le haut du papier, esquisse la silhouette d'un palmier ; sans se détacher du support, il s'élargit dans un mouvement plus sûr, ébauche un coucher de soleil filtrant à travers des nuages.

Soudain, la plume crève le croquis et, s'acharnant dessus, le réduit en charpie !

À ma demande, tu as repris le dessin, mais, comme pour les souvenirs, rien de cela ne t'est encore supportable. Ta gaucherie te rend furieux. Tes mains comme ton cerveau refusent d'obéir. Toi qui dessinais avec une facilité déconcertante, voici que tu te heurtes à tout instant à un nouveau carcan. Ce ne sont plus tes jambes qui t'empêchent d'avancer, c'est l'état de ton cerveau.

Même cette réminiscence de la lointaine Polynésie te fait mal. Tu souhaitais illustrer d'un trait léger notre conversation. Je te racontais mes nuits sur l'atoll de Marutea Sud où, avec ton jeune frère Vladimir, je tentais de reprendre pied après un sévère effondrement.

« Ce passé-là a resurgi comme une grande claque, m'expliqueras-tu un peu plus tard. À chaque retour vers ce que j'ai vécu et qui a été effacé dans mon "disque dur", j'ai l'impression de disparaître dans un entonnoir de sables mouvants… Rien pour te retenir, personne pour t'entendre crier… J'ai vu un de tes films, y a longtemps : un mec se noyait dans un étang de vase : eh ben, voilà ce que je ressens ! Mais la vieille femme ne vient pas me tirer de là... Maman, fais pas la gueule ! T'es vieille, mais pas autant que celle du film ! Et pis, t'es là, toi ! »

Maigre consolation !

Au bout du couloir, après avoir franchi plusieurs portes qu'il faut presque forcer, on pénètre dans un autre univers. C'est le prolongement de l'étage des patients en rééducation. Là s'éteignent doucement des vieillards...

Tu me fais découvrir cet espace lors d'une promenade sur ton tout nouveau fauteuil roulant. Nous en avons ri, comme il se doit, mais tes yeux noirs de colère, d'une dureté si effrayante chez mon père, ne me laissent augurer rien de bon. Pourtant je me force à sourire en voyant ce qui se dessine dans ce lieu propice au silence et à l'ennui.

Dans chaque cellule, une vieille femme – elles constituent la majorité – t'accueille avec des gazouillis d'oiseau. Rien que ton prénom marmonné par ces bouches édentées, semblables à la tienne, me ravit. En quelques semaines, tu as réussi à faire s'in-

téresser à autre chose qu'à leur propre décré-
pitude des êtres encore plus près que toi de
leur ultime limite !

Mi-émue, mi-déconcertée, je découvre
cette autre facette de ta nouvelle personnalité. Tu t'intéresses à ces fantômes malingres,
ces poupées rabougries sur leur lit médica-
lisé, mais dont les yeux délavés s'allument à
ton approche. Tu les fais rire avec des bla-
gues d'écolier de celles que tu me destines
aussi, depuis ton retour de « là-bas ». Vous
êtes au diapason. Et ta patience, ton atten-
drissement vis-à-vis de ces vies suspendues à
un fil que tu parviens à retendre, fût-ce pour
quelques heures, me stupéfient. Toi qui ne
t'étais jamais occupé que de tes « visions »,
de tes « pulsions », de tes passions, de tes
dépressions, te voilà soudain attentif à distri-
buer quelques minutes d'amour aux occupants de ce couloir ignoré de la plupart.

Voilà que tu comptes tes sous ! Ce n'est pas le moindre de tes revirements, mais celui-ci en particulier me sidère... De tous les enfants de la famille, tu as toujours été le plus prodigue. Tu savais comme personne dilapider ton argent de poche, les menus gains tirés de petits travaux, puis, plus tard, tes cachets d'acteur (car tu l'as été, et avec un talent certain), et jusqu'aux sommes assez considérables qui transitaient par vos réseaux, à l'époque du tout ou rien.... Tout : la vie. Rien : la mort...

Cette propension à la générosité te faisait te débarrasser, dès le lendemain, d'un cadeau extorqué à force d'explications du genre : « M'man, tu n'ignores pas que je suis le meilleur des tatoueurs, ici, en Polynésie. Je sens que ça revient à la mode. J'ai besoin d'une machine spéciale à faire venir d'Amérique. C'est chéro, mais, tu verras, je vais faire des merveilles ! » À peine arrivée à destination, la somptueuse machine à tatouer avait fini chez un copain qui « en avait tant besoin »… Au demeurant, la folie du tatouage a débordé les atolls, elle a gagné la planète entière, on peut dire que tu avais du flair !

De toute urgence tu m'as fait aussi commander à grands frais un appareil projetant de fines gouttelettes de peinture, lesquelles forment comme un nuage passant d'une teinte à l'autre comme les couchers de soleil qui se déclinent en rose, vert, gris ou mauve, dans des sortes d'admirables dégradés… À une certaine époque, quand je m'essayais à l'aquarelle, les techniques pour « laver » la couleur étaient fichtrement plus complexes. Là, ledit appareil créait des ciels délicats rien qu'en pressant un bouton. Mais lui aussi disparut dans l'atelier d'un rapin désargenté qui « en avait tant besoin », le pauvre !

C'est sans parler des dizaines de pulls, vestes, tenues plus ou moins excentriques dont tu avais un besoin vital, et qui, quelques jours plus tard, réapparaissaient sur le dos du copain qui « en avait tant envie » !

Paradoxalement, jamais tu n'as volé un

centime, un objet, un bijou, même aux pires moments de tes «manques», alors que tout était à ta portée dans la maison ouverte à tous vents.

«Je suis devenu avare, ouais! C'est vrai! Je compte mes piécettes, les recompte, j'arrive pas à retrouver la même somme. Ça m'énerve : alors je recommence à compter...»

On appelle cela un *toc* : «trouble obsessionnel compulsif».

Tu auras à en subir bien d'autres, au long de ton retour à la vie.

Un jour de fête, on s'est réunis dans un bon restaurant, tous attentifs à ton humeur. J'ai déjà prévenu l'entourage : il peut y avoir de l'orage, soyez prêts à essuyer ses extravagances. C'est encore une des imprévisibles séquelles liées à ton état. Tu as toujours été impulsif, et l'usage de « produits » parmi les plus divers n'a pas amélioré ton équilibre. Cependant, tes sautes d'humeur sont désormais à l'image des dégâts qu'a subis ton organisme.

Je t'avais déjà vu fin soûl, comme la bande de frères et de cousins, lors de célébrations familiales : mariages, baptêmes, remariages, obsèques et autres plaisirs de la vie !... Aujourd'hui, on ne peut plus invoquer l'ivresse. Quelques verres suffisent à déchaîner le « scandaliste » tapi en toi. Plus rien ne peut endiguer ce désir de tout anéantir, comme si, ce faisant, tu cherchais à te libérer de ce qui te retient prisonnier du fauteuil roulant, de ces douleurs permanentes, de cette chape qui enserre ton cerveau et que tu ne peux réduire en miettes comme la vaisselle qui vole à travers la salle de restaurant...

Habituée à ton cirque, je laisse passer les premiers dégâts, puis nous quittons prestement les lieux, aidés des convives les plus costauds qui soulèvent ton fauteuil tandis que tu hurles et te débats.

Dès que nous approchons du bord de mer, en revanche, tu te calmes comme par enchantement... Tu réclames une cigarette, tu fumes en silence, je respire l'air vif et revigorant avant de reprendre le cours de nos bonnes conversations.

Nous nous baignons dans la piscine d'eau de mer, tiède et apaisante comme est censé l'être le liquide amniotique dans lequel nous avons tous connu le plus sidérant réveil de notre existence.

Car nous le savons maintenant : le fœtus est tout ouïe, son cerveau fonctionne en relation constante avec les bruits extérieurs, naturellement avec le timbre de voix, les battements de cœur, les rires, réflexes et soubresauts divers de la mère. Celle qu'il pourra reconnaître justement à ces harmoniques uniques, comme il en va chez les pingouins...

En attendant, je patauge avec mon vieux bébé dans cette piscine accueillante aux estropiés en tous genres. Près de nous passe et repasse, telle une algue longue et déliée, une jeune fille au visage parfait mais où plus un seul muscle ne réagit. L'homme qui la baigne paraît subjugué par sa beauté, la dépendance totale de cet être angélique qui le fixe d'un regard éperdu.

Je fais le clown en tapant dans l'eau, comme j'ai vu faire à des Africaines qui, creusant leurs mains en forme de conque, donnent ainsi un vrai concert de percussions. Si je n'ai pas la manière, du moins suis-je parvenue à détourner ton attention, car j'ai frémi à découvrir ton visage contracté, durci, presque cruel. À voir cet être céleste nous frôler à chacune de ses évolutions, incarnant tout ce à quoi tu as pourtant échappé, j'ai perçu ta révolte. Tu te sens « invalide », ce mot que personne n'a prononcé jusque-là à ton sujet.

Infirme, handicapé, retardé, diminué, inadapté, déficient moteur ou mental, inférieur... Le dictionnaire n'est pas avare de mots pour dire ce à quoi je refuse de te réduire, dans l'espoir que tu échappes à ces catégories génératrices de ségrégations... Car il y a à peine quelques mois, tu ne devais jamais plus bouger, ni parler, ni même penser...

Je dois te quitter quelque temps pour honorer un contrat. Le cœur tranquille, car je te laisse en compagnie d'une équipe solide et de tes adorables petites vieilles dont tu t'occupes chaque jour. Tu es à présent presque autonome, habile à manœuvrer ton fauteuil. Le médecin a même promis de te mettre debout avec des béquilles dans moins d'un mois. Ta jambe droite reconstituée est désormais robuste ; la gauche ne cède malheureusement rien de sa raideur au cours des séances de kiné. C'est ce qui te fait souffrir le plus. Et me met en rage, à repenser à l'erreur commise : on m'avait expliqué qu'il était nécessaire de te plâtrer, que tu avais une double entorse du genou, après m'avoir affirmé que le plâtre te protégeait des éventuelles blessures provoquées par les broches sortant de l'autre jambe. On se défausse comme on peut...

Un autre ostéome a été découvert à ton épaule gauche. Pour le moment, il ne te gêne pas trop. Tu es droitier et les gestes pour manœuvrer ton fauteuil et t'en extraire sont indolores.

Avant de te quitter, j'ai vu une jeune femme arriver au volant de sa petite voiture, en sortir prestement un fauteuil pliant, le déployer, s'y asseoir d'un mouvement gracieux, claquer la portière et filer à toute allure vers la salle de gym. Elle est hémiplégique, suite à une chute de cheval. Grande sportive, elle a reconquis en quelques mois une complète indépendance et repris une vie quasi normale. Exemple rassurant !

Tu n'en es pas encore là, mais tes progrès sont nets et j'espère te voir bientôt sur pieds. Ma seule appréhension tient aux troubles permanents de ton humeur, aux brusques changements de ton comportement, à ton manque total d'intérêt pour ce qui était ta vie avant l'accident. Peut-on perdre sous le choc une part de sa personnalité pour qu'en surgisse une autre à la place laissée vacante ?

Je travaille avec une jolie métisse aux yeux turquoise dont les traits me rappellent une scène de notre passé. Tu es alors pensionnaire au Chambon-sur-Lignon. Nous sommes au tout début des années 70, juste avant tes quinze ans. Après diverses escapades, nous avions conclu une paix studieuse qui n'a duré que quelques mois, mais qui m'a permis de me reposer un tant soit peu de mes inquiétudes, te sachant en un lieu sûr et sympathique. Le Collège cévenol, de réputation internationale, accueillait alors ce que le monde comptait d'enfants présentés comme difficiles : poètes exaltés, musiciens en herbe, artistes débraillés, mais, surtout créateurs d'infinis tracas pour leurs parents, eux-mêmes à peine sortis des soubresauts de Mai 68 et s'évertuant gauchement à engager avec leur progéniture un « dialogue » constructif ! Rien n'était facile : nous autres femmes changions de peau, les hommes essayaient à tâtons d'autres voies, l'idée généreuse mais idiote de traiter ses garçons adolescents comme de jeunes frères creusait l'abîme où ils s'engouffrèrent avec notre aide involontaire…

Ce soir-là, les chiens se déchaînent en aboiements joyeux. À l'époque, j'en possède cinq, dont deux bassets à poil dur, Piossik et Tochka, un Michka, adorable chien-loup gris mâtiné de husky, ramassé dans une flaque un soir de nouvel an, et mes deux bergers allemands, Maffy et Titoune, qui, ayant reconnu leur jeune maître, lui font déjà fête devant le portail. Je sens une hésitation quand vous pénétrez dans le jardin. Car vous êtes deux. Et je discerne dans la pénombre des yeux immenses qui se détachent sur un visage d'ébène, puis un sourire découvre des dents puissantes qui scintillent dans l'ombre des buissons fleuris.

« C'est ma copine, M'man. On peut rester à la maison ? J'voulais te la montrer : elle est chouette, non ? »

Je suis émue, c'est la première « fête

d'amour », ainsi que l'a décrite Roger Vailland, que je vois se dérouler sous mes yeux. Mais il n'y a là que jeunesse, élan, pureté, découverte, sincérité, don de soi : n'avez-vous pas, l'un et l'autre, l'âge de Roméo et Juliette ?

Je me pose la question sans oser la formuler à voix haute : peux-tu encore aimer ? as-tu encore envie de faire l'amour ? penses-tu encore aux femmes ?

Je sais qu'au moment de l'accident tu étais célibataire, ce qui impliquait une vie sexuelle active et diversifiée... Je revois en pensée quelques-unes de ces demoiselles que tu me faisais rencontrer quand tes relations devenaient plus régulières. Tu étais alors assez fidèle et je nouais parfois avec l'élue une connivence qui me plaisait, car, n'ayant pas eu de fille, j'étais curieuse de leur conversation, de leurs rêves, de leurs émotions, aussi des sentiments qu'elles éprouvaient pour toi...

J'en ai vu de toutes sortes, car tu as été un grand séducteur, et comme, à chaque nouvelle aventure, tu tenais à me présenter l'objet de ta flamme, j'ai pu suivre au fil des ans les fluctuations de tes engouements.

De la première, la petite Afro-américaine, je conserve le souvenir ému d'une gracieuse silhouette aux attaches si fines qu'elle ressemblait à une gazelle lorsqu'elle foulait, le matin, les herbes humides de rosée, suivie par la meute des chiens, heureux d'avoir une nouvelle compagne de jeu !

Puis apparurent des créatures outrageusement fardées, à la chevelure aussi extravagante que leur accoutrement, car elles étaient déguisées et c'est toute une tribu bruyante et débridée qui envahissait momentanément le jardin, garçons et filles mêlés. Tu en préférais une, le temps de cette fête païenne, puis tous disparaissaient, comme mûs par le besoin de migrer vers quelque autre lieu plus excitant, ou tout simplement ayant épuisé les réserves comestibles de la maison. Une sorte de nuée de criquets musiciens et voraces qui se mouvaient au gré des vents en fumant de la marie-jeanne…

Une autre amante se pointa bientôt à l'horizon : femme expérimentée, trentenaire ayant tout vécu, revenue de moult expériences, charriant un lourd bagage tant sentimental que politique, et qui t'en avait mis plein la vue. Plus, bien entendu, un faible pour les plaisirs opiacés dans lesquels tu te complaisais toi-même volontiers. La fin fut triste, comme sont les rapports noyés dans l'illusion.

Il y eut aussi des réussites prolongées. Certaines perdurent encore, tant comme amies fidèles, pour ce qui te concerne, que comme compagnes d'une autre génération que la mienne, mais qui m'épaulent et me réconfortent. Elles savent aussi à quel point je les aime, comme je leur suis reconnaissante de l'attention sans faille qu'elles te portent. Elles n'ignorent pas combien j'ai besoin d'elles, aujourd'hui, pour t'extraire de ce cul-de-basse fosse dans lequel tu as perdu toute notion du passé.

En as-tu envie, en as-tu encore le désir, palpite-t-elle encore en toi, l'étincelle de l'amour ?

Désormais, ton leitmotiv de prédilection est : « Toutes des thons ! » Façon élégante d'évoquer les filles « abordables ». Pour les autres, celles qui posent problème, soit qu'elles sont déjà en main, soit qu'elles ne s'intéressent guère à la gent masculine, tu les affubles au choix des surnoms choisis de goudous, poufs, boudins, grognasses, pétasses, et j'en passe... De cette nomenclature l'amour paraît bien absent !

Tu t'es toujours montré plutôt doux avec tes amies. Je ne t'ai entendu parler grossièrement des femmes qu'en une seule occasion : nous étions réunis à Tahiti avec tes frères pour fêter le remariage de mon second époux. De toutes les îles avaient débarqué des groupes de danseurs et de musiciens. On chantait, on dansait, on mangeait et buvait sans discontinuer ; la fête durait plusieurs jours. Retirés dans un *faré*, à l'écart du bruit, nous parlions cœur à cœur comme il nous arrivait de le faire à l'occasion de rencontres hélas trop rares. Tu travaillais alors au Club Med. Ce sas professionnel entre la vie anarchique et dangereuse que tu menais à Paris et un éventuel retour dans la capitale pour reprendre une activité artistique t'avait été proposé par ton jeune frère qui, te voyant en péril, t'avait persuadé de venir passer quelque temps dans son paradis... Tu n'appréciais pas ! Il faut avouer que l'atoll de Marutea Sud où vivait et travaillait ton frangin, ne ressemblait en rien au club de vacances haut de gamme, lupanar tropical où tu fus employé. D'un côté, une solitude effrayante dans la nature la plus sauvage, de l'autre une population de touristes surexcités par la libération des mœurs prônée par les chefs de village. En ces années 1973-75, il y avait de quoi surprendre les moins effarouchés... Les femmes mûres n'étaient pas en reste : de là tes paroles humiliantes sur la « chair à baiser » que l'on vous faisait obligation de satisfaire... Féministe convaincue, je ne pouvais qu'approuver celles qui entendaient profiter de la vie au même titre que les mâles en goguette. Mais mon plaidoyer s'arrêtait là. Car comment ne pas être offusquée par ces jeux truqués, pour ne pas parler de la prostitution de gamines, que je défendais par ailleurs en tant que militante d'associations cherchant à les protéger ?

Après des années de réconciliation avec la gent féminine, te revoici braqué, méprisant, injurieux : est-ce pour cause d'impuissance ? ou parce que tu n'as pas encore dépassé les bornes de l'enfance, puis de l'adolescence dans ton laborieux retour au présent ?

Nouvelle alerte : une infection a gagné la partie greffée de ton muscle du mollet. Il a fallu t'hospitaliser d'urgence. Par chance, ça n'a pas été trop grave. Mais le chirurgien qui a examiné ton genou gauche t'a proposé une intervention pour libérer l'articulation. On remet ça, cette fois dans un hôpital cinq étoiles : chambre individuelle, maître d'hôtel pour le service, vins fins, infirmières impeccablement cintrées dans leur tenue blanche... Tout pour te plaire ! Résultat : nul ! Hormis vingt mille euros soustraits à nos comptes en banque. Et à nouveau une douloureuse rééducation dans un centre proche de Paris où tu n'accomplis pas de grands progrès. Ton humeur s'en ressent. Je crains un retour en force de la poudre qui guérit momentanément de tout !

Nous décidons de repartir pour le Sud-Ouest où des amis d'une fidélité à toute épreuve sont prêts à te recevoir. Ils t'accueillent, ayant, pour ton confort, disposé un lit dans le grand bureau du rez-de-chaussée de leur demeure. Nous partageons depuis de longues années le même amour de la montagne. Ils t'ont aussi pris à maintes reprises sous leur aile pour te permettre, comme aujourd'hui, de reprendre pied, de retrouver, grâce à leur énergie communicative, l'envie de te battre.

En quelques semaines tu te redresses et je te vois revenir un beau matin, émergeant du flot des passagers, claudiquant, mais un large sourire éclairant ton visage, fier de te déplacer à l'aide d'une simple canne. Derrière toi j'aperçois une belle brune que j'ai déjà rencontrée à diverses reprises. Son regard ardent, sa voix chaude à l'accent musical me font la reconnaître sur-le-champ. C'est une de tes « vieilles » connaissances. Vous avez le même âge et dans vos jeunes années vous avez cheminé côte à côte sur les cimes vertigineuses des paradis artificiels. Ce qui vous lie aujourd'hui est plus profond : une tendre amitié qui ne se démentira pas.

Ta dernière lubie : repartir au Cachemire où tu as déjà fait naguère une randonnée de plusieurs semaines à travers des paysages grandioses, aux côtés d'énigmatiques cavaliers qui te faisaient rêver... Tu t'en sentais proche par le physique : barbus, teint bistre, yeux mordorés, faciès aux hautes pommettes. Tu étais à l'époque l'accompagnateur d'un ami d'enfance, Américain fou de voyages et disposant des moyens d'assumer ses extravagances, grand seigneur doué d'humour et d'une folle générosité, lui aussi resté fidèle au fil de vos escapades et des péripéties de vos vies respectives.

Ta mémoire rapiécée bribe après bribe t'a donc ouvert une trouée d'air sur ces montagnes au pied desquelles s'étendent des lacs couverts de fleurs aux odeurs entêtantes et de myriades d'oiseaux piailleurs et pêcheurs... À tes récits ne manque plus que la musique lancinante des *thar* pour imaginer un film aux couleurs criardes et au *happy end* douceâtre...

Tu as dû oublier la face sombre de ce rêve de jeunesse : les rigueurs de la loi islamique, la pauvreté sans nom de la population, la vie d'esclaves des femmes plus durement traitées que des bêtes de somme.

Ou bien n'en avais-tu rien remarqué, ébloui par le dépaysement, rendu aveugle face à ces paysages infinis.

J'hésite avant de t'organiser ce voyage. D'abord, tu ne peux plus monter à cheval et la marche par ces sentiers escarpés est pénible, même pour un sportif en excellente condition. Puis le temps a passé, la région n'est plus aussi sûre, et ce qu'on en sait par les médias n'est guère rassurant. Tout autour sévissent des conflits larvés, voire, en certains lieux, une guerre ouverte.

Mais tu insistes. Ce qui me pousse à accepter, c'est ton ardent désir de repartir à l'aventure : c'est la toute première manifestation d'un retour à ton naturel vagabond. Depuis l'accident, ta vie ressemble trop à l'existence d'un petit retraité qui compte ses pas, ses sous, qui mégote ses mots et ses sentiments, qui végète et rouspète, enfermé chez lui sans voir personne !

Mais, surtout, tu ne partiras pas seul. Tu as choisi d'inviter à t'accompagner la fougueuse fille de Corse, retrouvée après maintes incursions en divers territoires, sans que vous vous soyez vraiment perdus de vue, dirait-on, comme si, par des voies divergentes, vous vous étiez en définitive dirigés vers le même cap…

Est-ce celui de l'amour ? En tout cas, celui de la confiance et de ce sentiment qui t'est devenu indispensable : une forme de sécurité qui te permet de renouer sans craindre d'être jugé avec tout ce qui composait ton passé.

Vous allez donc partir pour Srinagar, le bout du monde. J'en attends le meilleur, mais peut-être aussi le pire.

Dans ma boîte aux lettres, une carte postale après un long silence. Pas de téléphone, dans ces contrées. Peut-être aussi as-tu éprouvé le besoin de rompre avec tout ce qui te reliait à cette remontée des enfers.

L'image est idyllique. De frêles embarcations débordantes de fleurs sillonnent un lac dans lequel se reflètent les pics de l'Himalaya. Sur les berges sont amarrés des *house boats*. Tu me les avais décrits avec enthousiasme, après ton premier voyage. C'est là que vous habitez. Tes mots sont simples : paix, sérénité, beauté. Étrange, alors que les médias diffusent sans répit des images d'attentats, de voitures piégées, des convulsions de cette société en soulèvement permanent. La contrée étant étendue, les vallées semi-désertiques, peut-être campez-vous dans un licu écarté, pas encore touché par les prémices de la guerre civile que semblent redouter les correspondants de presse ? Ou bien, comme à ton habitude, ne vois-tu que ce que tu veux bien voir ?

Je vous découvre au bout du couloir débouchant sur la sortie des passagers. Vous êtes tous deux visiblement fatigués, amaigris. Mais vous avoir entr'aperçus, bien vivants, fait bondir mon pouls. Le pire n'est donc pas obligatoire ! Le reste n'a plus d'importance.

Il nous faudra plusieurs heures pour tirer au clair l'imbroglio de votre rêve devenu cauchemar. Premier choc : la famille qui vous a reçus n'a plus du tout la même attitude que naguère envers ses clients. Autrefois attentive aux moindres désirs de l'hôte, ne faisant jamais allusion aux différences ethniques ou religieuses, confiante dans le règlement des factures, son chef a aujourd'hui exigé d'emblée tout l'argent du séjour, ajoutant des suppléments importants pour des prestations dont vous n'aviez même pas entendu parler ; tout ce qui était en votre possession vous a été confisqué ; vous étiez si éberlués que, sans même discuter, vous avez tout abandonné ! Par la suite, on vous a non seulement mal nourris, mais vous n'avez même pas réussi à obtenir la moindre bière, ni bien sûr le moindre verre de vin ou d'alcool. En tant que femme, ta compagne n'était ni saluée ni acceptée dans le cercle masculin : elle n'existait pas ! Comme c'étaient les fils et neveux du chef qui s'occupaient de vous pour la nourriture et vos déplacements, elle n'a pu avoir de relations qu'avec les femmes de la famille, elles aussi cloîtrées et qui parlaient à peine trois mots d'anglais, seule langue commune.

Ce séjour de quelque trois semaines n'a été qu'une série de déceptions et ses ultimes moments ont frisé le drame : on a tiré des coups de feu sur votre véhicule et des bombes ont explosé sur la route que vous empruntiez chaque jour.

Après cette amère expérience, tu as décidé d'aller t'installer dans les Pyrénées : havre moins exotique, certes, mais combien plus hospitalier et pacifique…

Tu n'as jamais apprécié les psychiatres, c'est le moins qu'on puisse dire. À dire vrai, depuis ton expérience désastreuse de Charenton, tu les vomis. J'ai pu te rendre visite en ce lieu qui, à l'époque, ressemblait à une mise en scène du *Marat-Sade* de Peter Weiss. Dans une salle commune s'entassaient des êtres bouffis, le ventre débordant d'un pyjama défraîchi, bave et langue pendant des lèvres, arborant tous le même faciès de trisomiques abandonnés à leur solitude. J'en fus si horrifiée que je n'eus de cesse de t'arracher à cet enfer. On prétendait vous soigner ; en fait, on vous emprisonnait dans ces camisoles chimiques qui s'étaient substituées aux camisoles de force naguère en usage dans les « maisons de fous » ! Double violence infligée à des consommateurs de stupéfiants qui ne se faisaient déjà que trop de mal à eux-mêmes...

Avec le temps, tu as accepté quelques rencontres dont certaines t'ont été bénéfiques. Je me souviens en particulier avec reconnaissance de M. Sapir, respectable psychanalyste : en pénétrant dans son bureau, j'ai ressenti d'emblée une profonde impression de sécurité, ce qui, à l'époque, me manquait le plus. Je t'ai laissé en sa présence sans l'ombre d'une inquiétude. Et je t'ai vu aussitôt échanger dans l'harmonie avec cet homme humble et sage qui a su t'écouter, te comprendre, te faire faire ces quelques pas en avant qui allaient te sortir, au moins pour un temps, d'une énième ornière... Sa douceur, que l'accent russe me rendait encore plus proche, m'a aidé à réviser certains de mes a priori ; je sais à présent que nous ne sommes pas tous égaux dans le malheur ; il faut se faire à l'idée que certains ne sont pas aussi résistants qu'ils devraient l'être.

Une autre personne t'a apprivoisé en ces périodes de rage autodestructrice. Une jeune femme dont je n'ai pas retrouvé le nom. Elle faisait partie de l'équipe qui te traitait à Sainte-Anne. Elle aussi a su te faire avancer, sinon jusqu'à l'émancipation totale, du moins jusqu'à un *statu quo* qui t'a permis de quitter pour un mois, pour un an, les réseaux de faux amis qui te voulaient tant de « bien » !

Aujourd'hui, je prétends qu'une autre forme d'aide extérieure te serait nécessaire. Cette partie de toi, si créatrice, festive, qui te faisait commettre tant de faux-pas et contre laquelle j'ai pesté tout au long de notre vie, oui, j'en suis venue à la regretter. Toi, naguère toujours prêt à te lancer dans les plus folles aventures, te voici terré dans un confort douillet, banal, étriqué, uniquement préoccupé de l'arrivée de ton mandat ou du résultat du Loto !

Je mesure les contradictions de mon attitude vis-à-vis de tout ce passé, et combien elles me rendent injuste. Mais comment cacher que je souffre que tu aies perdu, dans ce passage sur l'autre versant de la vie, ce qui, voici encore quelques années, me rendait folle d'angoisse ? Tout comme j'en étais presque venue à regretter le calme plat de ton coma, par comparaison avec l'effrayant spectacle de tes fureurs animales…

Cette tragédie nous a profondément changés, tous les deux. Peut-être aurais-je besoin moi aussi d'une aide extérieure? Mais le brave et bon M. Sapir n'est hélas plus de ce monde...

Est-on jamais satisfait de la destinée de ses enfants ? Jusqu'à cette nuit fatidique qui a fracassé ta vie, j'appréciais modérément tes choix. Mais, à chacune de tes excentricités, je ne pouvais m'empêcher de sourire, parfois de rire, en tout cas d'être épatée par ton culot, ta capacité de t'« en sortir », quitte à voler à ton secours si la déraison t'emportait trop loin... Même aux pires moments de tes délires, notre complicité ne s'est jamais tarie.

Ce que j'observe désormais devrait me rassurer. Tu gagnes en habileté pour te déplacer, tu t'es installé dans un studio où tu te débrouilles seul, tu apprécies la région, la ville, tu as même su conquérir un cercle d'amis rapprochés. Tout est donc pour le mieux. Pourtant, je ne vois pas souvent briller tes yeux, lorsque nous nous rencontrons, et nos tentatives pour t'inciter à peindre et dessiner de nouveau n'ont rien donné, à ce jour… Peut-être le temps finira-t-il par faire éclore à nouveau tes visions pareilles à des feux d'artifice ? Il faut sans doute attendre encore…

Les années ont filé. Chacun à notre tour, nous avons enduré de nouveaux drames, de nouvelles chutes. Nous nous sommes redressés vaille que vaille, nous avons erré, boitant bas, nous soutenant lorsque l'effort était trop douloureux, l'équilibre trop perturbé… Nous nous sommes mutuellement aidés à avancer sans plus chercher à savoir qui guidait l'autre.

Aujourd'hui, cependant, alors que j'écris ces dernières lignes, nous fêtons une victoire : nous volons vers Moscou. Tu m'accompagnes dans ce voyage qui marque le point d'orgue de mon travail théâtral. Je vais retrouver le public de ma jeunesse, celui qui vénère le poète Vladimir Vissotsky, héros de mon spectacle. Tu as tenu à être présent et je suis fière de te voir marcher à mes côtés. Nous rions tels deux vieux complices ayant affronté et mis en déroute un redoutable ennemi commun. Il nous aura fallu des

décennies pour accéder à cette tardive harmonie et à cette paix tant espérée

Pour recevoir
le catalogue gratuit :

Éditions Corps 16
15, rue de la Comète 75007 Paris
Tél. 01 45 50 10 10 – Fax 01 45 50 33 09
mail : info@editionscorps16.com

Le catalogue
est aussi consultable sur le site :
www.editionscorps16.com

Achevé d'imprimer en mars 2010

Imprimé en FRANCE pour
les éditions Corps 16, Paris - FRANCE